MEU PAI, O GURU DO PRESIDENTE

A FACE AINDA OCULTA DE OLAVO DE CARVALHO

**HELOISA DE CARVALHO
HENRY BUGALHO**

© 2020 Heloisa de Carvalho | Henry Bugalho
Kotter Editorial
Direitos reservados e protegidos pela lei 9.601 de 19.02.1998.
É proibida a reprodução total ou parcial sem autorização, por escrito, das editoras.

coordenação editorial
Leonardo Attuch e Sálvio Nienkötter

editor executivo
Mauro Lopes

editor-adjunto
Raul K. Souza

capa
Jussara Salazar

diagramação
Paula Villa Nova

produção
Cristiane Nienkötter

Dados Internacionais de Catalogação na Publicação (CIP)
Angélica Llacqua CRB-8/7057

Carvalho, Heloisa de
   Meu Pai, o guru do presidente | Heloisa de Carvalho, Henry Bugalho. — Curitiba : Kotter Editorial; Editora 247, 2020.
   162 p.

ISBN 978-65-8010-385-0

1. Carvalho, Olavo de, 1947- 2. Brasil – Política e governo 3. Jornalismo I. Título II. Bugalho, Henry Alfred

CDD 921

20-1081

Kotter Editorial
Rua das Cerejeiras, 194
82700-510 | Curitiba/PR
+55 41 3585-5161
www.kotter.com.br | contato@kotter.com.br

1ª edição
2020

Olavo, meu pai, o guru.
Os lados desconhecidos e sombrios do astrólogo que faz
a cabeça do bolsonarismo

Heloisa de Carvalho
com Henry Bugalho

Prefácio

Henry Bugalho

"Mas você veja, a Pepsi Cola está usando células de fetos abortados como adoçante nos refrigerantes."
(Olavo de Carvalho)

Quando Heloísa de Carvalho me convidou para participar de um projeto para ajudá-la a escrever um livro sobre a relação dela com seu pai, o infame Olavo de Carvalho, não hesitei. Topei no ato.

Vale expor as razões para esta decisão. Primeiro, porque eu e Heloísa nos tornamos amigos. Foi uma das muitas amizades que conquistei ao longo dos últimos anos ao por-me a este pavoroso conservadorismo tupiniquim encabeçado por Olavo. Eu tinha publicado vários vídeos expondo os absurdos conceituais e teóricos de Olavo de Carvalho quando, certo dia, recebi um comentário da Heloísa. Como eu já tinha lido a carta aberta dela contra o pai, resolvi contatá-la e, ato contínuo, iniciamos uma longa conversa. Heloísa queria expor ao mundo quem seu pai realmente era e com esse intuito combinamos de gravar uma entrevista com ela para publicar no meu canal no Youtube. Depois disto, mantivemos contato e muito do que hoje sei sobre Olavo de Carvalho, como ele trabalha e qual é a natureza de sua influência sobre as pessoas que o cercam, devo à Heloísa.

A segunda razão é porque entendo que este livro é uma contribuição para o bem público. O que temos diante de nós é um personagem que sequestrou o debate político, contaminou-o com uma linguagem tóxica, nociva e destrutiva pela qual propaga algumas das ideias mais descabidas que se possa imaginar, como a já famosa afirmação dele de que a Pepsi usaria células de fetos abortados como adoçante em seus refrigerantes, e tudo isto em prol de uma noção deturpada de Cristianismo e valores tradicionais. Não existe filosofia naquilo que Olavo faz, assim como não há princípios cristãos no modo como ele opera. Olavo de Carvalho é a antítese dos valores que diz defender. Ele é anti-intelectualista, anticientificista, anticonhecimento e anticristão. E o melhor modo que ele encontrou para projetar sobre si mesmo uma aura de grande pensador foi travestir-se de erudito, atacando o conhecimento de dentro para fora.

Tudo na obra e na vida de Olavo de Carvalho parece se resumir a uma guerra cultural imaginária pela hegemonia ideológica. Ele ataca o suposto gramscismo da esquerda brasileira, mas, na realidade, o que Olavo faz é uma espécie gramscismo olavista[1].

---

[1] O filósofo italiano Antonio Gramsci (1891-1937) foi um dos expoentes dentre os pensadores marxistas do século XX. Autor da monumental obra "Cadernos do Cárcere", composta enquanto ele era mantido como preso político na Itália durante o regime fascista de Mussolini e versando sobre os mais diversos tópicos, dentre eles Filosofia, crítica política, social e cultural. Gramsci foi um dos principais responsáveis por revisão da dinâmica marxiana da infraestrutura-superestrutura, considerada por muitos como determinista econômica, propondo, com base em sua constatação histórica de que uma transformação nas bases econômicas de uma sociedade, por si só, não bastava para uma transformação

Ele se mune das mesmas táticas e os mesmos princípios que atribui a seus opositores, calcado em factoides e deturpações conceituais com o fito de convencer seus discípulos, mas usando táticas e princípios elaborados por Lênin, Gramsci ou Trotsky, e transforma-os em armas na guerra cultural continuada que ele próprio estabeleceu. Usa a lógica de que os fins justificam os meios, engendrada com ironia por Maquiavel, para destruir a esquerda que abomina. Olavo parece avaliar que vale recorrer a qualquer método, por sujo, baixo e indigno que seja, para destruir inimigos que acumula e/ou imagina[2]. Eis que aí entra a sua postura anticristã, uma religião que, em sua essência, jamais prega a retaliação ou o ódio, e tem, segundo Lucas em Atos dos Apóstolos, seu início em comunidades que viviam em comunhão espiritual e material, muito próxima, inclusive, do modelo comunista. Olavo é o retrato do ressentimento de pessoas que não são reconhecidas pelos talentos que julgam possuir. O fato é que o mundo não é obrigado a lhe coroar de louros, principalmente quando o seu trabalho não alcança a qualidade necessária para que tal aconteça.

---

revolucionária da superestrutura ideológica e cultural, que os intelectuais empreendessem aquilo que ele chamou de "guerra de posição", ou seja, um esforço pela conquista da hegemonia político-ideológica. Posteriormente, a extrema-direita norte-americana enxergaria nesta busca gramsciana pela hegemonia um sinal de que os comunistas queriam fazer a revolução através da infiltração nas instituições das sociedades ocidentais, destruindo os valores cristãos, agregando assim esta leitura equivocada e até maliciosa na teoria conspiratória do "marxismo cultural".

[2] "Não puxem discussão de ideias. Investigue alguma sacanagem do sujeito e destrua-o. Essa é a norma de Lênin: nós não discutimos para provar que o adversário está errado. Discutimos para destruí-lo socialmente, psicologicamente, economicamente." Olavo de Carvalho em vídeo de seu Curso On-line de Filosofia.

É notório que Olavo gradualmente conquistou espaço na imprensa, no mercado editorial e, acima de tudo, nas redes sociais. Apesar de sua fragilidade conceitual, da inconsistência de seu trabalho, de suas limitações quando se trata de compreensão das obras dos grandes filósofos, incluindo do próprio Gramsci a quem tanto ataca, Olavo de Carvalho conseguiu perfurar a blindagem que separa a Filosofia dos brasileiros médios. Justamente por não ser um filósofo, por não ter uma formação nem uma trajetória acadêmica, Olavo conseguiu aquilo que muitos intelectuais universitários têm dificuldades para obter: o acesso aos leitores fora dos muros das universidades. Mas o sucesso junto às camadas mais rasas e menos eruditas, por assim dizer, costuma coroar talentos duvidosos. É fatídico isso!

O diálogo entre Olavo e seus discípulos é fundado, essencialmente, no equívoco e na ruptura entre o discurso e a realidade apresentada. Ao explorar a ignorância das pessoas, que não detêm o arcabouço teórico-conceitual essencial para acessar as obras filosóficas, Olavo de Carvalho obteve o que sempre almejou: reconhecimento e respeito, aparentemente não se importando que seja apenas de um pequeno segmento de fanáticos.

Trata-se de fama sim, mas de uma fama dependente na incompreensão e dos graves déficits de discernimento e de conhecimento filosófico e político de uma população que, até poucos anos atrás, sequer se interessava por questões abstratas. Para que isso fique patente, basta uma leitura atenta de qualquer obra de Olavo ou que você preste atenção às aulas de seu curso, que geralmente se dividem em dois tipos: a) leituras equivocadas de grandes pensadores, seja para detratá-los ou para elogiá-los, ou b) ataques pessoais a professores, jornalistas, intelectuais e políticos.

Mesmo numa análise superficial, é possível identificar rapidamente a dificuldade de Olavo de Carvalho para lidar com conceitos simples e bastante difundidos de grandes filósofos. E se o ouvinte das aulas dele não estiver premunido de uma noção prévia sobre o assunto e/ou se não detiver os instrumentos necessários para acessar e decodificar a fonte primária, isto é, o próprio texto filosófico, talvez acabe mesmo com a impressão de que está, de fato, diante de um grande pensador, quando, na verdade está apenas deixando-se hipnotizar por um falastrão que sequer consegue saber que não sabe. A psicologia estudou este fenômeno, denominando-o "Efeito Dunning-Kruger"[3], que essencialmente explicita que, quanto menos uma pessoa entende sobre determinado assunto, menor será a sua capacidade de avaliação pessoal sobre a sua competência naquele assunto, levando-a a uma distorção de percepção, ou seja: quem não sabe, por usar menos variáveis, não raro costuma crer que sabe mais do que quem realmente sabe.

O mais surpreendente não é apenas o autoengano de Olavo, mas a sua extraordinária capacidade para enganar os demais também — embora saibamos e conheçamos incontáveis casos de "gurus" que movem multidões e que, no fundo, são apenas charlatães explorando a ingenuidade e a credulidade alheia. Talvez Olavo de Carvalho reúna estes dois atributos: a ignorância em relação à sua própria ignorância e, ao mesmo tempo, uma avassaladora capacidade de mascarar-se como um grande pensador, algo que ele por certo sabe que não é.

---

[3] Kruger, Justin; Dunning, David (1999). "Unskilled and Unaware of It: How Difficulties in Recognizing One's Own Incompetence Lead to Inflated Self-Assessments". Journal of Personality and Social Psychology. 77 (6): 1121–1134.

Durante vários meses, pude explorar isto em vários vídeos que publiquei na internet, isolando afirmações olavianas claramente equivocadas, que exibiam flagrante incompreensão de Olavo sobre conceitos extremamente básicos, tanto da Filosofia quanto de outras áreas, e revelando-as ao público. Aliás, penso que, em grande medida, toda a distorção que temos visto no debate público brasileiro se deve à incompreensão de muitos conceitos essenciais, como democracia, socialismo, capitalismo, feminismo, liberalismo, etc., ou seja, as pessoas estão debatendo e se agredindo mutuamente sem sequer saberem mais exatamente qual é ou onde está o cerne do que disputam. Uma solução possível, e isto está na base de qualquer trabalho intelectual sério (e pelo que parece jamais será realizado por Olavo), é estabelecermos definições claras antes de qualquer debate sobre um assunto, para que os interlocutores compreendam bem do que se está falando e, fundamentados em solo conceitual compartilhado, possam avançar rumo ao conhecimento, rumo à aproximação da sempre esquiva verdade. Sem isto, o que resta é mesmo gritaria e insultos, o arroz com feijão do método olaviano.

Outro elemento bastante explorado por Olavo de Carvalho concentra-se nas teorias conspiratórias, geralmente importadas a machado do cenário ultraconservador norte-americano[4], Nova

---

[4] "Que o globalismo é um processo revolucionário, não há como negar. E é o processo mais vasto e ambicioso de todos. Ele abrange a mutação radical não só das estruturas de poder, mas da sociedade, da educação, da moral, e até das reações mais íntimas da alma humana. É um projeto civilizacional completo e sua demanda de poder é a mais alta e voraz que já se viu." Publicado por Olavo de Carvalho em setembro/outubro de 2009 no Digesto Econômico.

Ordem Mundial, ditadura gayzista[5], abortismo[6], movimento antivacina[7] e, mais recentemente, até um flerte com terraplanismo[8], tudo isto e muito mais está presente na agenda de Olavo de Carvalho, que está muito mais próximo de uma figura como Alex Jones do canal Infowars, o maior propagador de teorias conspiratórias e fake news dos EUA e que chegou a ser elogiado por Olavo em 2017[9], do que de qualquer filósofo sério reconhecido. Olavo poderia ser chamado de o "Alex Jones brasileiro", embora o historiador Marco Antonio Villa prefira alcunhá-lo de "Jim Jones da

---

[5] "(...) o atual movimento gay é a materialização possante e assustadora de um projeto de revolução civilizacional que, a pretexto de proteger oprimidos, não hesita em entregá-los às feras quando isso convém à sua grande estratégia. Que esse projeto seja apenas um desenvolvimento específico dentro do quadro maior do movimento revolucionário mundial é algo tão óbvio que não necessita ser enfatizado." Publicado por Olavo de Carvalho em 4 de junho 2007 no Diário do Comércio.

[6] "(...) O médico Bernard Nathanson, um dos líderes do movimento abortista americano na década de 70, diz que a PP (Planned Parenthood) 'é a organização mais perigosa dos Estados Unidos'. É o depoimento de um cúmplice arrependido: com a ajuda dele próprio, as organizações abortistas americanas falsificaram as estatísticas de abortos clandestinos, de menos de cem mil para mais de um milhão por ano, para forçar a legalização." Publicado por Olavo de Carvalho em 19 de abril de 2007 no Jornal do Brasil.

[7] "O falecido Dr. Carlos Armando de Moura Ribeiro dizia explicitamente: 'Vacinas matam ou endoidam. Nunca dê uma a um filho seu. Se houver algum problema, venha aqui que eu resolvo.' Pois não é que o Percival teve nada menos que MENINGITE, e o Dr. Ribeiro o curou em 24 horas?" Publicado por Olavo de Carvalho em 23 de julho de 2016 no Facebook.

[8] "Não estudei o assunto da terra plana. Só assisti a uns vídeos de experimentos que mostram a planicidade das superfícies aquáticas, e não consegui encontrar, até agora, nada que os refute." Publicado por Olavo de Carvalho em 29 de maio de 2019 no Facebook.

[9] "O infowars, canal do Alex Jones, de cuja idoneidade eu mesmo desconfiava no começo, acabou se tornando a melhor fonte de informações sobre a política americana." Publicado por Olavo de Carvalho em 8 de janeiro de 2017 no Facebook.

Virgínia"[10], em referência ao líder de seita que induziu um grupo ao suicídio coletivo em sua comunidade de fanáticos na Guiana.

O impacto e a adesão dos cidadãos a determinadas teorias conspiratórias, que se popularizaram de maneira inacreditável nas redes sociais e particularmente no Youtube, é um fenômeno que mereceria maior atenção e estudo já que elas também contribuem negativamente para qualquer tipo de reflexão sobre a sociedade e a política. Em sua obra *Como a Democracia chega ao fim*, o professor de História e política David Runciman expõe como as teorias conspiratórias costumam se infiltrar no imaginário coletivo de sociedades com regimes políticos problemáticos, defendendo que este momento de crise em democracias liberais pelo mundo acaba sendo propício para a propagação deste tipo de informações escabrosas e sem base fatual, mas que suprem uma carência, uma razão delirante, frente ao "mistério" por detrás deste fracasso do sistema.

Outra frente de ataque de Olavo de Carvalho se volta contra a ciência e aquilo que ele debita à influência do Iluminismo. Em seus artigos e aulas, Olavo crê ter sido capaz de refutar as teorias de alguns dos mais fundamentais cientistas de nossa História, e

---

[10] "O mais estranho nestes cem dias foi a permanência da influência em áreas sensíveis do governo – com a da educação e das relações exteriores – do Jim Jones da Virgínia. O autoproclamado como filósofo – que interrompeu seus estudos na antiga primeira série ginasial – continua dando as cartas. É inexplicável – racionalmente – entender como um desqualificado moral, que vivia, de acordo com o depoimento de sua filha, com três mulheres em São Paulo em uma casa no bairro da Bela Vista, isto quando era muçulmano, possa determinar quem vai ocupar o MEC ou o Itamaraty. A cidadania tem de exigir que o Presidente da República se afaste deste indivíduo que tem uma linguagem – basta consultar o Twitter – de marginal." Publicado por Marco Antonio-Villa em 10 de abril de 2019 no Blog do Villa.

isto vale para Einstein, Newton, Darwin[11] ou Stephen Hawkins. Essas "refutações" de Olavo jamais chegam perto de se tratar de um empreendimento sério e, mais importante, com algum critério científico, posto que, por não compreendê-los, ele despreza estes critérios. Em suas investidas contra a Teoria da Relatividade de Einstein, por exemplo, que Olavo afirma não passar de "uma empulhação elegante"[12], o ponto de partida dele confirma o que se acaba de dizer: Olavo não consegue entender a teoria, logo ela é falsa. É preciso fazermos um esforço para aceitarmos a enorme presunção de um senhor que supõe que, se ele não entende uma teoria, logo ela não é verdadeira. Em vez de reconhecer a própria limitação sobre a questão, a sua ignorância científica, tanto sobre os princípios e métodos quanto sobre os resultados da Ciência, é muito mais cômodo culpar a teoria. Este é um dos muitos exemplos que poderíamos enumerar do raciocínio falacioso e limitado de Olavo, que se propõe a falar sobre todos os assuntos abaixo do Sol, quase sempre sem preparo nem competência para tal. Uma coletânea de "pérolas" de Olavo de Carvalho já poderia compor uma obra por si só.

Unindo tudo isto a um novo ciclo político que vem acoplado na frustração dos cidadãos com aquilo que entendem como fracasso das esquerdas, Olavo de Carvalho encontrou um ambiente

---

[11] "O darwinismo é uma idéia escorregadia e proteiforme, com a qual não se pode discutir seriamente: tão logo espremido contra a parede por uma nova objeção, ele não se defende – muda de identidade e sai cantando vitória. Muitas teorias idolatradas pelos modernos fazem isso, mas o darwinismo é a única que teve a cara de pau de transformar-se na sua contrária e continuar proclamando que ainda é a mesma." Publicado por Olavo de Carvalho em 20 de fevereiro de 2009 no Diário do Comércio.

[12] Publicado por Olavo de Carvalho em 2 de julho de 2009 no Diário do Comércio.

propício para suas ideias tóxicas, converteu-se no ideólogo do momento e alçou-se ao status de guru do Bolsonaro.

Olavo tem a sua parcela de responsabilidade na polarização política que está corroendo as estruturas sociais brasileiras, sem dúvida.

Portanto, trabalhar em cooperação com Heloísa de Carvalho nesta obra é também um modo de lançar luz neste conturbado momento da política brasileira, que propicia a embusteiros o ditame dos rumos do debate e, mais do que isto, chegarem a postos de poder. Mas bastará um pequeno passo para que retomemos o caminho da lucidez e da sanidade.

As histórias e as lembranças são da Heloísa, mas foi inevitável, ao longo deste processo, que eu interviesse com considerações próprias, de modo a emprestar a minha experiência enquanto escritor e leitor de Filosofia para ajudá-la a estruturar e transmitir neste livro tudo aquilo que, durante tanto tempo, a afligiu: o abandono, o descaso, a infância perdida e as excentricidades de um pai que sempre viu a si mesmo como superior a todos os demais, de alguém capaz de qualquer coisa para atingir seus tétricos mas nebulosos objetivos.

Agosto de 2019.

Sumário

A carta para Olavo — 23

"Se tornem homens" — 27

O líder de seita — 37

Casamento muçulmano — 45

O pai negligente — 53

"Vim para foder com tudo" — 61

A barca egípcia e outras histórias bizarras — 73

A imagem do pai de família margarina — 83

A vitória que é uma derrota — 89

A poderosa marca olavista — 103

O guru do Bolsonaro? — 109

Quais são os valores do guru? — 119

O legado de Olavo de Carvalho — 125

Posfácio – Carlos Velasco — 131

A carta para Olavo

Era setembro de 2017 quando resolvi escrever uma carta aberta para meu pai e publicá-la no Facebook, onde apenas alguns poucos amigos e conhecidos me seguiam.

Nela relatei eventos do meu passado ligados a atos de meu pai, atos que por certo eram desconhecidos da maior parte das pessoas que o admiravam. Não tive grandes pretensões com aquela carta, que representava uma tentativa de tirar de mim rememorações que me atormentavam durante toda a minha vida e que afloraram mais uma vez depois da última discussão que tive com ele, discussão que viria a marcar a nossa *ruptura definitiva*. Assim, como muita gente antes de mim, com aquele evento eu havia me tornado mais uma entre os incontáveis inimigos do Olavo. E a lista já era interminável: ex-integrantes de suas seitas, ex-alunos, jornalistas, professores, padres, pastores, políticos, personalidades públicas e anônimos, quem ousasse cruzar-lhe o caminho ou desafiá-lo, ato contínuo se tornava alvo de chacota, recebia apelidinhos nada lisonjeiros e, muitas vezes, era ameaçado de processo, e às vezes processados de fato.

Olavo de Carvalho, meu pai, havia se tornado um dos mais ácidos polemistas da era digital no Brasil, criando conflito e vomitando insultos a torto e a direito, e a sua legião de seguidores fanatizados aplaudia cada uma de suas investidas tóxicas.

Agora, contudo, a sua mais nova investida pública se dirigia contra a própria família, se dirigia a mim, Heloisa de Carvalho, sua filha mais velha. No entanto, para preservar a sua falsa imagem de pai de família cristão e conservador, Olavo naturalmente delegou o trabalho sujo de me atacar e me denegrir a lacaios seus. Desde então ele passou a sequer ousar mencionar o meu nome, mesmo assim, em atitude habitual, também passou a me atribuir certos apelidos, como por exemplo, "o espermatozoide extraviado lá em Atibaia".

Eu sempre soube que, por detrás dos ataques e insultos que sofri vindos de outras pessoas, após a publicação desta carta aberta, estava a mãozinha invisível mas evidente do *guru*.

Não me arrependo daquela carta, embora jamais pudesse ter previsto as consequências dela, e o como ela viralizaria nas redes sociais e acabaria nos jornais e portais da Internet. De repente, você tinha a filha de Olavo de Carvalho revelando detalhes que comprometiam a manutenção da farsa que o "maior pensador brasileiro vivo" – segundo ele mesmo havia criado em torno de si. E não me arrependo por várias razões, mas a principal é porque finalmente eu me dava conta do perigo em que meu pai havia se tornado para o Brasil, e nisto não havia qualquer exagero. Inclusive, era algo que o próprio Bolsonaro e os demais filhos dele reconheciam: sem Olavo de Carvalho, Bolsonaro jamais teria se tornado presidente. Veja-se o que disse Eduardo Bolsonaro, influente filho do presidente, num programa do SBT: "Olavo é o pai de todos nós". Ou seja, o impacto das ideias de Olavo era real, e o que ele defendia em seus cursos e livros era extremamente prejudicial e estava contaminando, talvez de maneira quase irrecuperável, a política brasileira.

Confesso nunca ter me interessado muito por aquilo que Olavo acreditava ou dizia. Mas o que eu sabia sobre ele, as histórias de seu passado, me mostravam o quanto, na realidade, ele estava distante da imagem que queria projetar de si. E isto, eu querendo ou não, acabou se tornando uma contra Olavo que eu dispunha.

Definitivamente: Meu pai não é o que as pessoas que o seguem pensam que ele seja.

"Se tornem homens"

Minha mãe havia tentado se matar e fui eu quem a encontrou com os pulsos cortados naquele banheiro da escola de astrologia.

Revivo a mais trágica cena da minha infância, uma infância irregular de uma menina de pouco mais de dez anos. Quebrar aquela janela do banheiro da casa para tentar salvar a mãe já submersa numa banheira ensanguentada, teria impacto de sobejo para ficar gravada em minha memória, em minha identidade, em quem sou e em quem me transformei. Mas existe um personagem fundamental não citado na cena acima. Como veremos, ele estava fora da cena por estar em braços de uma aluna, o que ensejava e agravava tudo: meu pai!

Apesar disto e de muito mais que teremos como ver, hoje meu pai é o guru de uma família cujo patriarca está investido no cargo de Presidente da República, e que governa o destino de mais de duzentos e vinte milhões de pessoas. Alguém, portanto, muito influente, já cogitado para Ministro de Estado, cargo que rejeitou talvez pelos processos que responde no Brasil, talvez por se recusar a trabalhar duro e a assumir responsabilidades. Ele preferiu fazer o favor ao Presidente de indicar dois outros nomes no lugar do seu. Penso, como muitos, que meu pai foi o responsável pela ascensão do conservadorismo no Brasil e pelo retorno da direita extremada ao poder.

Meu pai se apresenta como defensor dos tradicionais valores cristãos, porém não os segue nem nunca os seguiu. Digo isso porque sei, porque convivi com ele, porque convivi com o pior da personalidade dele: os piores momentos, a pior faceta dele.

E agora eu, Heloísa de Carvalho, filha de Olavo de Carvalho, vou lhe revelar segredos deste homem que tem alterado os rumos da vida política brasileira e que arruinou cabalmente a minha infância e juventude.

Era 1980 e, meses antes, havíamos sido despejados de onde morávamos, no Tremembé. Foi assim que eu, meus irmãos e minha mãe, nos vimos obrigados a nos mudarmos para a *Escola Júpiter*, a famosa escola de astrologia fundada por meu pai e que, naquela época, já contava com uma legião de alunos endinheirados de São Paulo, que pagavam mil cruzados ao mês por uma aula semanal para tentarem compreender a influência dos astros nos seus destinos humanos.

Já naquele tempo, Olavo de Carvalho reunia em torno de si fiéis seguidores, seduzidos pela sua aura de autoridade num campo que desde há muito tempo é considerado um reduto de charlatães ou, no máximo, pseudocientistas. Então nós, eu e meus irmãos, passamos a nos tornar mais um elemento no cenário daquele sobrado, correndo de um lado ao outro, às vezes atrapalhando as aulas. Morávamos no quartinho dos fundos, que obviamente não era em nada adequado para acomodar uma família inteira.

Ninguém tinha aprovado esta ideia. Minha mãe, Eugênia, se viu isolada, mas convertida agora em sócia do Olavo na escola de astrologia, após a debandada dos sócios anteriores. Essa debandada foi motivada em parte por esta nossa invasão, mas também porque meu pai era muito desorganizado, tirava dinheiro do caixa quando bem entendia, o que atrapalhava o ritmo normal do funcionamento da Júpiter. Em 1980, a escola de astrologia já contava com 140 alunos[13] e Olavo tinha uma rotina agitada de aulas e conferências, além de atenção dedicada à Silvana, com quem ele já mantinha um caso amoroso.

Para a menina que eu era, foi um período de extremo abandono e descaso. Havia certos dias que mal tínhamos o que comer, pois nem meu pai nem minha mãe se preocupavam muito com "trivialidades". E nem era por falta de grana, mas simplesmente porque pertencíamos a um modelo diferente de família, na qual tudo era muito livre, sem regras, mas também sem cuidados. Quando estávamos com fome e a comida havia acabado, alguém corria até um mercadinho e trazia macarrão instantâneo, uma cena muito distante daquelas de famílias em comerciais de margarina. Pai, mãe e filhos vivendo no quartinho de empregada de uma escola de astrologia. Imagine!

Minha mãe não aguentou o baque, coitada, e atentou contra a própria vida.

Certo dia, ao acordar, percebi que minha mãe não estava mais no quarto. Fui procurá-la no banheiro, mas encontrei a porta trancada. Bati, bati, ninguém respondia. Me desesperei, tentei abrir o vidro do banheiro, mas eu não tinha força. Sabia que ela estava lá dentro e pressentia que o silêncio dela denunciava algo

---

[13] Como consta na edição de 4 de abril de 1980 da Revista Veja, p. 80, no artigo intitulado "Alto Astral".

grave. Mesmo no desespero consegui ter uma ideia: enrolei um pano no meu cotovelo e investi contra o vidro, que se espatifou. Encontrei enfim a minha mãe: estava desmaiada numa banheira ensanguentada, com ambos os pulsos cortados.

Agora assustada ao extremo, a minha reação imediata foi sair em disparada à procura de meu pai. Desci correndo as escadas e o encontrei no escritório da escola... dormindo com Silvana, sua amante.

Uma ambulância foi chamada e os atendentes resgataram a minha mãe, mas antes de a levarem ao hospital ainda com vida, Olavo pegou na mão dos meus irmãos Gugu (Luiz Gonzaga) de oito e Tales de uns seis anos, puxou-os para bem perto da maca onde nossa mãe estava deitada e desacordada, embebida em sangue e agora sufocada numa camisa de força e disse: "Olhem! Aprendam a ser homens". Eis a dramática cena que dissolve a família já sempre tão disfuncional.

Com minha mãe no hospício, Olavo de Carvalho se viu livre e assumiu seu relacionamento com Silvana. Para tanto mandou meus irmãos para a casa da minha vó materna, e eu fui morar com meu pai e a sua amante num apartamento na rua Tutoia, no Centro-Sul de São Paulo. O imóvel era de propriedade da família da Silvana.

Filha de um importante empresário de São Paulo, dono de uma construtora, Silvana era amiga de alguns alunos da escola Júpiter, que a apresentaram a Olavo e, assim como outras pessoas antes, ela, com seus vinte e poucos anos, deslumbrou-se e se apaixonou por aquela figura.

JUPITER · REVISTA DE ASTROLOGIA · PUBLICAÇÃO TRIMESTRAL · ANO I · Nº 00 · JUNHO 1979

Ensino da astrologia: um desafio

Não falem mal de Saturno

Um livro para você: Alquimia moderna

As doze tarefas do Zodíaco

Cr$ 80,00

IVPITER

JÚPITER
REVISTA DE ASTROLOGIA

PUBLICAÇÃO TRIMESTRAL
ANO I, n°.00
SÃO PAULO, JUNHO 1979

Diretor de Redação
Olavo de Carvalho
(Reg. M. T. 8860)

Redação e colaboradores
Antonio Carlos Harres
(Redator-chefe)

Mary Lou Simonsen
Juan Alfredo César Müller
Alcides Lemos
Marcio Del Costa

Correspondentes
Emma C. de Mascheville
(Porto Alegre)
Maria Eugênia de Castro
(Rio de Janeiro)
Carlos Asp
(Florianópolis)
Jorge Eduardo Aguiar
(Brasília)

Editado e distribuído pelo
Departamento de Publicações da
ESCOLA JUPITER DE ASTROLOGIA
Rua Roggio Nóbrega, 40
Jardim América
CEP 01441

Planejamento gráfico
e composição:
ANDRADE & BARBOSA ASSOCIADOS
R. General Jardim, 608
CEP 01223 São Paulo SP
F. 256-3146 – 259-0135

Impressão:
GRAFSET ARTES GRÁFICA
Rua Amália de Noronha, 343
Pinheiros — CEP 05410
F. 280-3220

Publicação filiada ao
CENTRO DE PESQUISA
E DIFUSÃO DE
ASTROLOGIA (CEPEDAC)

Número avulso: Cr$ 80,00
Assinatura anual: Cr$ 300,00
(4 números)
Número atrasado: Cr$ 100,00

Os artigos assinados
não refletem necessariamente
a opinião da revista

ÍNDICE

ENSAIO

Uma nova maneira
de ensinar astrologia   4

por Olavo de Carvalho
e Antonio Carlos Harres

ESPECIAL: LIVRO

Alquimia moderna

por Juan Alfredo César Müller   12

COMENTÁRIO

Não me falem
mal de Saturno   21

por Emma C. de Mascheville

CLÁSSICOS DA ASTROLOGIA

As doze Tarefas   24

por Martin Schulmann

ANÁLISES & PROGNÓSTICOS

Junho-Agosto: Aspectos e
posições planetárias   27

por Antonio Carlos Harres

Capa: Odhin-Wotan,
o Júpiter escandinavo.
Ernst Lehner, Symbols, signs & signets,
New York, Dover, 1950.

Este novo ambiente, contudo, não forneceu qualquer tipo de estrutura para uma vida familiar regrada. Meu pai simplesmente não visitava meus irmãos, Silvana havia engravidado, e embora eu fosse a queridinha de meu pai, pelo menos em comparação aos meus irmãos, eu passava boa parte dos meus dias sozinha naquele apartamento. Silvana pegava seu carro e ia para a casa de sua vó, meu pai ia ministrando seus cursos ou viajando, enquanto eu era deixada à própria sorte, tendo de me virar para cozinhar e lavar a roupa, do alto dos meus dez anos de idade.

Foi quando meu pai me matriculou numa escola, onde conheci a menina Irina. A mãe desta minha colega acabou assumindo o papel materno, levando-me para sua casa para almoçar com elas e me auxiliando com as lições de casa. Não posso nem dizer que delegaram os cuidados que deviam a mim a outras pessoas, pois nem isto aconteceu. Na verdade, houve algumas pessoas que se sensibilizaram com meu abandono e surgiram em minha vida para me ajudar.

Às vezes, visitávamos a minha mãe no manicômio. Ela vinha até o portão e falávamos com ela através das grades... mas estava sempre dopada, completamente! Olavo jamais demonstrou qualquer tipo de sentimento em relação à situação de minha mãe, exceto pela revolta muda, mas indisfarçável, por ter de lidar com um problema a mais em sua vida.

Nesta época, Olavo de Carvalho viajava muito para palestras, cursos e aulas em outras cidades. Tinha atividades com grupos de astrologia no Rio de Janeiro e em Curitiba. Ao retornar de uma destas viagens, descobriu que Silvana tinha decidido que iríamos nos mudar para uma nova casa. Um dos motivos era porque ela havia acabado de dar à luz minha irmã, Maria Inês, e o apartamento ficou pequeno demais para todos nós. Fiquei triste por deixar a escola e pensava que seria transferida para outra, mas não foi isto que ocorreu. Olavo simplesmente se esqueceu de me mandar novamente para a escola, e ficou por isto mesmo. A nova casa, nas proximidades da Avenida Vicente Rao, zona nobre na época, era maior, segura e eu tinha um quarto só para mim. Mas mais uma vez me via isolada e sozinha.

Nesta casa vivenciei novamente o trauma. Outra cena traumática, e essa duplamente traumática, de minha infância.

Certo dia, como sempre sozinha, ouvi barulhos fortes e estranhos. Sabia que não era nem meu pai nem a Silvana, eles haviam saído para dar aula. Ladrões haviam invadido a casa! Corri, desliguei a TV, me escondi no meu guarda-roupas, onde me cobri com um vestido. Fiquei muito tempo lá dentro, escutando os ladrões revirando as coisas e apavorada que eles pudessem me encontrar e fazer maldade comigo.

Ouvi quando entraram em meu quarto e caminharam pelo recinto.

– É quarto de criança. Aqui não tem nada que preste — um dos bandidos disse, e eu ali sufocando o choro para que eles não me ouvissem. Mesmo assim, eles levaram a minha televisãozinha em preto e branco, presente que recebi de uma aluna do Olavo, e a boneca, a única boneca que eu tinha.

Em casa não havia muita coisa de valor, mas levaram algumas joias que haviam sido presenteadas para a Maria Inês e alguns eletrodomésticos.

Quando meu pai chegou em casa, algum tempo depois, ele viu a porta arrombada, mas não entrou. Ele sabia que eu estava em casa e que ladrões haviam estado ali, que talvez ainda estivessem lá dentro. Mas, mesmo assim, ele não entrou. Olavo preferiu chamar a polícia antes e esperar lá fora até que ela chegasse.

Só que eu escutei o barulho do motor do fusca da Silvana e a conversa dela com o Olavo lá fora, então imaginei que os bandidos já houvessem ido embora. Saí devagarzinho do armário e vi a casa toda revirada, as gavetas abertas. Quando saí, a polícia já estava chegando.

Para mim, era difícil entender o porquê de meu pai não ter entrado para me proteger. Por que ficou lá fora?

Alguns dias depois, minha tia materna foi levar meus irmãos para visitarem meu pai, foi quando pedi para ir morar com ela, pois sentia que lá eu estaria mais protegida, que ela poderia cuidar de mim, me dar um pouco de afeto e atenção.

— Se seu pai deixar, por que não? – respondeu minha tia.

E o Olavo se opôs? Menos uma preocupação na vida, menos um estorvo!

O líder de seita

O maior talento do meu pai é liderar seitas. É isto que ele sabe fazer de melhor, mesmo que todas venham se autodestruir em algum momento, justamente por causa da presunção desmedida de seu líder. Olavo de Carvalho é uma força de unificação das pessoas, porém também, na mesma medida, é uma força destrutiva.

Não se entenderá completamente o meu pai se não se aceitar primeiro este fato: ele é um líder de seita nato.

Até onde eu saiba, desde cedo ele integrou certos grupos e, quando se viu na posição para tal, passou a liderá-los. Suponho que tenha começado a estudar ocultismo com o psicólogo Alfred César Müller, isto logo após ele mesmo ter deixado o hospício, sem alta, após um ataque de nervos que motivara a internação.

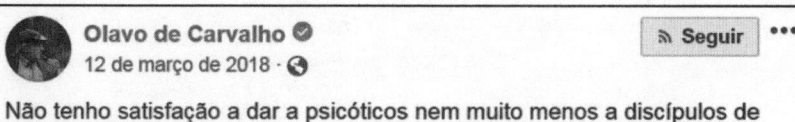

> **Olavo de Carvalho** ✓
> 12 de março de 2018 · 🌐   🔊 **Seguir** •••
>
> Não tenho satisfação a dar a psicóticos nem muito menos a discípulos de psicóticos, mas o fato é que busquei essa instituição por vontade própria, obtive alta imediata e decidi permanecer ali como paciente-atendente, tomando conta do hospital nos fins de semana, tendo chave do portão, participando das reuniões de enfermeiros e estagiários e em geral diagnosticando melhor que eles os casos ali estudados. Em caso de dúvida, consultem o diretor do hospital, Dr. Juarez Strachmann. Mas, se preferem acreditar nos Veadascos ou no Renatão, também podem. Não faz a menor diferença.

O ESTADO DE S. PAULO — 9

Uma das casas da seita, há 17 anos no Brasil

Tradição, a seita que extorque em dólares, agora caso de polícia

RENATO LOMBARDI

Aliciamento, exploração financeira, desvios psíquicos, deformidade moral, indução a aborto, envio de dólares para o Exterior, charlatanismo. Todas estas acusações estão sendo apuradas no inquérito instaurado na Delegacia de Estelionatos do Deic contra os responsáveis pela seita Tradição que tem como "gurus" os irmãos Omar Ali Shah e Idries Shah.

A seita tem sua sede central em Londres, está instalada na rua Antônio de Muritz, 65, Alto da Lapa, rua Adalberto Maia, 84, Campinas, praia de Botafogo, 210, sala 1008, Rio de Janeiro; e com escritórios em quase todo o País. A Tradição tem também filiais em diversos países, chefiadas por Alfredo Offidani, em Roma; Adam Muthe, na Inglaterra; Alejandro Calleja, no México; e Miguel Kehayglu, na Argentina. A seita é, segundo a polícia, acobertada pela empresa Dervish Internacional e arrecadou nos dois últimos anos Cr$ 32 bilhões. O delegado Marco Antônio Ribeiro de Campos vem há várias semanas investigando e já ouviu muitas pessoas submetidas à "lavagem cerebral" e exploradas. Os depoimentos são, no entender do delegado, contundentes, mostrando que o único objetivo do grupo liderado pelos "gurus" Idries e Omar Ali Shah, que moram em Londres, é conseguir dólares e mandá-los para o Exterior.

Os irmãos Idries e Omar são acusados pelas pessoas ouvidas na Delegacia de Estelionatos de Jurantes a "a alto preço vendem a ocidentais desinformados uma imitação grosseira e profanadora de ritos islamísticos". E em seus livros e folhetos afirmam terem sido instrutores do "guru" Rajneesh.

Segundo as pessoas que acusam a seita, os psicoterapeutas chefes submetem seus pacientes a lavagem cerebral e após deixá-los desnorteados usam de sua influência para alicia-los para a organização. Aproveitando o estado de "psicose" dos discípulos, a seita extorque dinheiro, sempre em dólares. Uma das pessoas ouvidas, o professor Olavo de Carvalho, explicou ao delegado Marco Antônio que os exercícios aplicados interferem no funcionamento cerebral

e "mediante técnicas de sugestionamento a seita produz nos discípulos vários tipos de deformidade moral". E enumerou:

1) Homossexualidade: "A seita é dirigida por pessoas anormais (lésbicas, bêbados, toxicômanos), cujo comportamento ostensivo é apresentado aos discípulos como modelo de sinceridade e mesmo de santidade. A homossexualidade é incentivada por uma líder lésbica".

2) Indução a aborto: "O chefe nacional da seita, Luís Antônio Suarez, usa de sua influência e poder sobre as discípulas para induzi-las a praticar aborto, alegando ter altas e secretas razões morais para tanto".

3) Idolatria: "A crença induz nos discípulos uma sujeição isolante e abjeta aos caprichos mais aberrantes do mestre, de modo a extinguir neles todo o respeito por si mesmo, pelos outros, e por Deus, e não obedecem senão ao guru, mesmo para a prática de atos criminosos".

4) Desorientação moral: "Mediante contínuo bombardeio de informações contraditórias e absurdas, a seita induz nos discípulos um estado patológico de confusão moral, de modo que não consigam discernir o bem e o mal nem mesmo no tocante às situações mais óbvias e corriqueiras".

5) Envolvimento em negócios escusos: "A seita procura envolver os discípulos numa infinidade de empreendimentos comerciais mal explicados, de modo a comprometê-los por todos os lados, para que eles não possam nunca mais se desligar da organização. Esta prática chega a incluir a indução ao contrabando".

6) Degeneração física: "As práticas psíquicas e as situações calculadas para deixar as pessoas permanentemente à beira do colapso nervoso produzem uma clara degeneração física. De nove partos ocorridos no grupo de São Paulo em 1984, cinco crianças nasceram mortas ou defeituosas. A seita informa que seus exercícios efetivamente produzem alterações genéticas".

Olavo de Carvalho disse também à polícia que a seita apresenta-se "sob o rótulo de sufismo, que é uma prática espiritual muçulmana. Mas nada é aplicado".

Homossexualidade e aborto

Adriana Bonadio Becker, 23 anos, secretária, em suas declarações na Delegacia de Estelionatos disse que os responsáveis pela seita exigiram dela o pagamento em dólares para a taxa de inscrição e mensalidades: US$ 11 para o ingresso e US$ 45 por mês. Havia também o pagamento de US$ 250 por trimestre para a compra da fazenda São Pedro do Limiar, em Friburgo, Estado do Rio. Ela permaneceu nove meses, tempo em que nada do que esperava aprender os mestres e subchefes da seita ensinaram.

A professora Roxane Andrade de Souza, 30 anos, solteira, declarou ao delegado Marco Antônio Ribeiro de Campos que a terapeuta Clarita Maia é a encarregada de receber os dólares e nos sete meses que freqüentou a seita foi obrigada também a contribuir para o pagamento das viagens dos chefes da organização. Maria Tereza dos Santos Sanches, 29 anos, psicóloga, entrou para a seita em maio de 1984 e informou que a Tradição é ligada à empresa Dervish Internacional. Também foi obrigada a pagar as taxas e as mensalidades em dólares e contribuiu para a compra da fazenda com US$ 250 por trimestre. "Fui submetida ao processo de psicoterapia Fisher Hoffmann e convencida de que a homossexualidade é considerada comportamento normal. Depois de um ano de freqüência, sofri prejuízos intelectuais, emocionais e morais, pois fui submetida a uma verdadeira lavagem cerebral." Maria Teresa fez outra acusação: "Soube do casamento da terapeuta Clarita Maia com o funcionário da Dervish, Marisa Thame, e a cerimônia foi realizada pelo mestre Omar Ali Shah".

A musicista Meri Angelica Harakawa, 23 anos, entrou para a seita em março de 1984 e ficou sabendo da Tradição por duas amigas, Beatriz Machado e Mônica, e recebida pelo chefe do grupo, Fernando Dalgalhondo Filho, "que tinha a missão de aconselhar e orientar adeptos". Meri foi avisada de que deveria contribuir com o pagamento das taxas em dólares para a manutenção da empresa Dervish, Internacional, Importação, Exportação, Comércio e Representação. "Acreditei que a seita obedecia às regras religiosas do mundo islâmico e por isso resolvi entrar. Fiquei mais de um ano, paguei tudo que foi exigido e não concordei em fazer o tratamento psicoterápico Fisher Hoffmann, pois tinha dúvidas quanto aos terapeutas por ter assistido a toda a sorte de imoralidades. Ouvi a indução pelos diretores de atos de homossexualismo e a seita aconselhava o aborto. Soube que Silvana Panzoldo foi submetida a um aborto. Além disso, queriam cobrar mais 500 dólares para a aplicação da psicoterapia."

Meri também forneceu à polícia a relação de todos os responsáveis pela seita: Luis Antônio Soares, chefe nacional, morador no Rio de Janeiro; Clarita Moura Maia, terapeuta e encarregada do recebimento dos dólares; Mariza Thame cuidava da caixa da empresa Dervish; Fausto Thame, advogado e pai de Mariza; Fernando Dalgalhondo Filho chefiava os subchefes da seita; Rodolfo Lepri, funcionário da Dervish e encarregado de levar dinheiro para o Rio de Janeiro; Odonel Lopes fabricava mantas usadas nas cerimônias religiosas dentro e fora da seita; Malaqui Lopes, esposa de Odonel; Sérgio Rizeki, diretor da Dervish em São Paulo.

O mentor intelectual da seita é Idres Shah. O irmão dele, Omar Ali Shah, é chamado de mestre supremo. Alfredo Offidani mora na Itália e é acusado de ter trabalhado como guarda-costas da ex-presidenta da Argentina, Isabelita Peron. A polícia ouviu o médico Otávio Monteiro Becker Júnior e confirmou também as exigências dos pagamentos em dólares e soube ainda que o dinheiro arrecadado era mandado para a Inglaterra, para Omar Ali Shah. O delegado Marco Antônio solicitou à Polícia Federal no Rio de Janeiro que fizesse uma busca na sede central da seita, na praia de Botafogo, para a apreensão de documentos.

Fernando Dalgalhondo Filho, morador em Campinas, psicólogo e construtor, 39 anos, chefe do grupo da seita em São Paulo, declarou ontem serem falsas as acusações feitas à polícia. Alegou ignorar o inquérito e justificou o pagamento das taxas em dólares dizendo que a Tradição faz compras de livros e traz gente do Exterior para palestras, e por isso tem de pagar em dólares. Disse mais: não obriga ninguém a entrar ou sair da Tradição. Sobre o aliciamento, exploração, indução ao aborto e a homossexualidade, Fernando disse que tudo não passa de uma "grande bobagem de quem acusa". A Tradição está há 17 anos no Brasil e Fernando acrescentou que o grupo tomará todas as providências para processar quem fez as acusações.

Passou a estudar astrologia e esoterismo. Aos 30 anos, já tinha fundado a escola de astrologia que o tornaria bastante conhecido em São Paulo e Rio de Janeiro nestes estudos, a Escola Júpiter. Ele dava aulas e viajava bastante.

Por volta de 1982, integrou a seita Tradição, que derivava das práticas do líder espiritual Idris Shah. Esta seita se envolveu em enormes polêmicas no Brasil, foi objeto de reportagens jornalísticas e Olavo saiu fugido, alegando estar sendo perseguido e ameaçado por seus antigos companheiros.

Em 1984, Olavo de Carvalho se converteu ao Islã, mais precisamente, passou a integrar uma tariqa, que é uma organização esotérica sufi[14]. Mais uma vez, a forte presença de Olavo e o poder de convencimento dele contribuíram para formar um considerável grupo de discípulos, incluindo ex-integrantes da seita Tradição, e vários deles passariam a viver numa mesma comunidade, num sobrado no bairro da Bela Vista em São Paulo.

Este foi um período que vivenciei bem, sendo uma das integrantes da comunidade pelo fato de ser filha do líder da tariqa, quando Olavo passou a ser chamado, pelo menos entre os integrantes da seita, como Sid Mohammad Ibrahim. A seita seguia os preceitos do Islã, com cinco orações diárias, além das orações de prática da tariqa, e a comunidade era mantida pelo trabalho dos próprios discípulos do Olavo, enquanto ele continuava dando suas aulas e escrevendo sobre astrologia.

Como um dos líderes da tariqa no Brasil, Olavo conquistou alguns seguidores, mas também se envolveu em disputas internas

---

[14] O sufismo é uma vertente mística e contemplativa do Islã, que visa estabelecer uma relação íntima com Alá.

quando, ao planejar uma viagem com os discípulos para os EUA, usou o dinheiro da turma para pagar sua própria viagem e seguiu com outros integrantes. O caso foi parar nos tribunais via uma queixa-crime de estelionato movida por Liana Dines, mas terminou em *In dubio pro reu*. No jargão jurídico, significa que, na falta de provas, diante das dúvidas existentes no caso, o mais seguro é não condenar o réu. É a máxima da presunção da inocência ou, literalmente: na dúvida, a favor do réu. Dessa, Olavo havia se safado.

Esta tariqa seguia a linhagem de Frijtoff Schuon, um líder espiritual suíço. Naquela viagem para Bloomington, nos EUA, Olavo de Carvalho e seus discípulos se encontraram com Schuon, sendo formalmente iniciados na tariqa[15]. Disto surge uma disputa pela liderança da tariqa que leva à divisão e ao fim do grupo. Outro problema que se deu também nesta época foi que, após o meu casamento, eu e meu marido, recém-casados, estávamos monopolizando o único quarto matrimonial que havia na casa e que servia de refúgio amoroso para os demais casais, já que todos dormiam em dormitórios coletivos. Sendo eu a filha do guru, muitos evitavam reclamar disto com Olavo, mas, com o tempo, a insatisfação generalizada, que incluía também despesas e alimentação, já que nós, filhos do Olavo, podíamos comer o que bem entendêssemos a qualquer hora, enquanto o restante do grupo era obrigado a aca-

---

[15] "Quando entrei na tariqa do Schuon, não estava, é claro, como aliás a maioria ali também não estava, buscando 'outra religião', o que no contexto esotérico não faz o menor sentido e é só objeto de riso, mas em busca de uma compreensão mais profunda da vida espiritual, independentemente de preferências confessionais. Este era o objetivo mesmo da tariqa, reiteradamente proclamado pelo próprio Sheikh." Publicado por Olavo de Carvalho em 15 de março de 2014 no Facebook.

tar rígidas regras e horários de refeições estabelecidas por minha mãe — que depois de sair do hospício continuava sempre próxima a meu pai, ainda que não mais na condição de esposa ou mesmo companheira —, tudo acabou inflamando a discórdia entre os integrantes da seita, e foi assim mais uma que se desintegrou.

Após este término, a nossa família se fragmentou. Olavo se mudou para o Rio de Janeiro e depois Poá, onde eu ocasionalmente o visitava. Depois passou um tempo na Romênia, onde ele certamente travou contato com grupos ultraconservadores romenos[16], tanto políticos quanto religiosos, até que acabou chegando a Curitiba, como professor assistente na PUC-PR, lecionando mesmo sem ter qualquer tipo de formação superior. Imagino que seja este o momento no qual se inicia a transição do Olavo de Carvalho astrólogo, muçulmano e líder de seita para o professor Olavo de Carvalho, autodenominado filósofo e analista político.

Ainda em Curitiba, meu pai se aproximou de influentes aliados que seriam justamente aqueles que lhe abririam as portas, para alguns anos depois deixar o Brasil rumo aos EUA, onde ele reforçaria a aura de um intelectual autoexilado e inimigo mortal da esquerda.

Tive contato esporádico com meu pai nestes anos, entre o fim da tariqa e sua ida aos Estados Unidos. Geralmente eu o visitava nas férias ou festividades. Inclusive, lembro-me de um

---

[16] "Num único país europeu essas lições foram meditadas com seriedade por pensadores independentes: a Romênia. Quando morei em Bucareste, não encontrei ali um só intelectual eminente que não tivesse uma compreensão profunda e crítica da obra de Guénon." Publicado por Olavo de Carvalho em 8 de maio de 2008 no Diário do Comércio, artigo no qual discorre sobre dois líderes esotéricos que o influenciaram, René Guenon e Frithjof Schuon, o mesmo de cuja tariqa Olavo havia feito parte.

aniversário dele em Petrópolis que me surpreendeu pela quantidade de militares na festa, pois isto já começava a indicar a nova persona do Olavo, aquela, que muitos anos depois, todos viriam a conhecer.

Casamento muçulmano

Casei-me aos 16 anos no Islã, com a aprovação do meu pai. Só que tem um detalhe: muçulmana não namora, ela casa.

Então, eu, apaixonada por um aluno do Olavo, e certa de que ele também gostava de mim, contei para meu pai e ele arranjou tudo. Conversou com o Paulo e concordaram com o casamento, que seria realizado na mesquita Brasil, na Avenida do Estado em São Paulo.

Cerimônia simples, poucas testemunhas, pai presente.

Paulo veio morar também conosco e trabalhava em prol da comunidade. Eu não era uma muçulmana devota. Havia me convertido para cumprir as expectativas de meu pai e da comunidade, afinal de contas, o que eles diriam se a filha primogênita do próprio Sid Mohammad Ibrahim não fosse uma convertida?

Como sempre, Olavo tinha uma imagem a zelar e ter seus filhos compactuando com suas crenças fazia parte deste pacote.

Eu participava das cinco orações diárias e jejuava no Ramadã, mas nunca aprendi mais do que um par de palavras em árabe e sabia muito pouco sobre as doutrinas da religião. Já Olavo e meus irmãos entraram de corpo e alma no Islã. Olavo, isto é, Sid Mohammad, aprendeu a falar, ler e escrever em árabe e chegou a ganhar um prêmio concedido pela embaixada da Arábia Saudita com uma monografia sobre o profeta Maomé. Só lembrando que Olavo não proferia nenhuma das vertentes principais do Islã, mas uma corrente esotérica que, possivelmente, nem seria bem vista entre a comunidade islâmica.

Foi nesta época que Olavo de Carvalho também manteve uma relação poligâmica com suas três esposas.

Minha mãe e Olavo já tinham se separado, embora ela ainda morasse na comunidade e ambos mantivessem laços amistosos; o relacionamento de Olavo e Silvana também já havia acabado, mas em pé de guerra, com processo judicial requerendo pensão para os filhos e uma busca e apreensão das crianças quando Olavo se negou a devolvê-las para a mãe. Na época da tariqa, Olavo havia se casado (oficialmente) com a Roxane (que atualmente é a única esposa do Olavo), e mantinha outras duas mulheres, a Meri, e a Teresa, com quem o casamento mal durou três meses.

É evidente que esta imagem de meu pai, que hoje se apresenta como um guardião da moralidade e dos bons costumes conservadores, destoa completamente daquele muçulmano, líder de seita, polígamo, que casa a própria filha de 16 anos numa mesquita e escondia do resto do mundo as suas práticas.

Reconheço que sempre achei fascinante a capacidade de meu pai de reunir em torno de si seguidores que fariam qualquer coisa que ele dissesse. Só depois que fui descobrir que ele conhecia muito bem técnicas de manipulação, que incluía até hipnose, que facilitavam bastante este trabalho dele de doutrinação dos discípulos, aliás, técnicas estas que ainda hoje são aplicadas pelo "filósofo" da Virgínia.

Engravidei alguns meses após o casamento, ao mesmo tempo em que a Roxane, a minha madrasta, também havia engravidado de Olavo. Nesta época, meu marido resolveu que deveria arrumar um emprego para poder me dar condições de vida que não seriam possíveis dentro da comunidade islâmica do meu pai, onde tudo era precário. Paulo conseguiu um posto como assistente administrativo numa luxuosa maternidade em São Paulo. Tive uma gravidez extremamente complicada, mas graças ao trabalho do meu marido no hospital, conseguimos toda a assistência necessária.

O médico que me acompanhou na gestação, quando me viu chegando no consultório pela primeira vez, ainda uma adolescente vestida com roupas simples, tímida e desajeitada, meu deu uma bronca, mas depois acabou se tornando um grande amigo.

André nasceu um mês e pouco depois da minha irmã, Leilah Maria. Porém ela nasceu com hipóxia, mas, sempre negligente, Olavo sequer empreendeu qualquer esforço para buscar acompanhamento médico para a filha recém-nascida. E Roxane tampouco questionou a indiferença do Olavo e aceitou deixar a filha sem tratamento. Até hoje Leilah traz as sequelas disto.

O meu casamento também foi um dos grandes fatores de desestabilização da tariqa, já que, como expliquei, na comunidade havia apenas um quarto matrimonial que era onde os casais se encontravam para as relações sexuais. Como casalzinho recém-casado, eu e Paulo acabamos monopolizando este quarto e isto contribuiu para um motim contra Sid Mohammad Ibrahim, o meu pai. Mas não apenas isto, os membros da tariqa pensavam estar sendo explorados e enganados por Olavo, pois, enquanto alguns passavam o dia inteiro fora de casa, trabalhando e contribuindo para a manutenção da comunidade, e outros dentro de casa dedicando-se para a publicação e divulgação dos livros do guru, Olavo, o líder, só usufruía disto sem realizar sacrifícios.

Olavo sempre foi um fator de agregação de pessoas, mas ele também sempre foi uma força de entropia. Provocar conflitos e desordem era com ele mesmo.

Antes de meu filho completar um ano de idade, a seita já havia se desintegrado, então eu e meu marido resolvemos nos mudar para a casa da minha avó materna. Deste ponto em diante, o meu contato com o Olavo foi ficando mais esparso, pois, como não vivíamos mais sob o mesmo teto do guru, eu e Paulo já não sofríamos mais a influência de estar submetidos a viver sob as regras dele.

Começamos a construir realmente a vida de um casal com um filhinho, dentro da normalidade que eu tanto ansiava. Isto foi libertador, em muitos sentidos. Paulo voltou a estudar e eu, pela primeira vez, descobri o que era uma família.

Depois deste afastamento, foi ficando mais lúcida a minha compreensão daquele mundo no qual eu havia crescido e, justamente por isto, fiz o máximo esforço para poupar o meu filho do contato com o olavismo. O meu propósito e do Paulo era o de criar o André com cuidado e responsabilidade, com saúde, ou seja, aquela vidinha normal que muitas pessoas têm e que não dão o devido valor — algo que eu nunca tinha tido até aquele momento.

Dentre os netos do Olavo, o meu filho não foi o único que foi salvo deste ambiente. Meu primeiro sobrinho, filho do meu irmão Luiz Gonzaga, o Gugu — que também se casou adolescente no Islã com uma mulher dez anos mais velha do que ele —, foi salvo graças a esta cunhada, que quando se deu conta do que ocorria ali, deixou a comunidade, levando consigo meu sobrinho. Algum tempo depois, mudaram-se do Brasil no intuito de evitar qualquer contato com o guru e sua família.

Infelizmente, meus sete irmãos nunca se deram conta até hoje do quão prejudicial foi para eles crescer e viver dentro do olavismo, e a minha maior tristeza não é em relação aos meus irmãos, mas sim por causa dos meus quinze sobrinhos que hoje são criados no interior deste mundo invertido liderado por meu pai.

EM NOME DE DEUS, MISERICORDIOSO, BONDOSO

Certidão de Casamento

CENTRO ISLÂMICO DO BRASIL
Avenida do Estado, 5.382 - São Paulo

CERTIFICO que, no dia vinte e oito de Dezembro de mil novecentos e oitenta e cinco, de sete horas, perante S. Emcia. o Xeque Mahmud AL Azfar receberam-se em matrimônio de acôrdo com os preceitos Islâmicos:

o Senhor ▮▮▮▮▮
estado civil solteiro profissão _____
nascido em ▮▮▮ São Paulo
no dia dezanove de Setembro de 1966
domiciliado e residente em R. Vicente Prado 110
filho de ▮▮▮▮▮
e de Dona ▮▮▮▮▮

e Senhora Heloisa de Carvalho
estado civil solteira profissão _____
nascida em São Paulo SP
no dia 13 de Novembro de 1969
domiciliada e residente em R. Vicente Prado 110
filha de Olavo Luiz Pimentel de Carvalho
e de Dona Eugenia Maria de Carvalho

com o sadaq (dote) total de Cr$ 1.500.000
a parte adiantada de Cr$ 1.000.000 e a parte posterior de Cr$ 500.000

Testemunharam o ato:

_____   ▮▮▮▮▮
Ass. 1.a Testemunha   Ass. do Marido

_____   _____
Ass. 2.a Testemunha   Ass. da Esposa

بسم الله الرحمن الرحيم

المركز الإسلامي
بالبرازيل

وثيقة زواج   وثيقة رقم

اسم الزوج: بولو أندرا أغوادر   اسم الأب: بولو أغوادر (عبد الحكيم) اسم الجد: فيرجيليو أغوادر
اسم والدة الزوج: لويزا أندرا أغوادر
تاريخ ومحل الميلاد: ١٩-٩-١٩٦٦   الجنسية: برازيلي
الديانة: مسلم   رقم البطاقة: ١٧.٩٥٠.٩٢   صادرة من: سان باولو
محل الإقامة: Vicente Prado 110

اسم الزوجة: آلويزا دي كرزنالو (أميمة)   اسم الأب: أولاسو لويس بسكال دي كرزنالو   اسم الجد: لويس غونزاغه دي كرزنالو
اسم والدة الزوجة: وجانيا ريا دي كرزنالو
تاريخ ومحل الميلاد: ١٣ - نوفمبر - ١٩٦٩   الجنسية: برازيلي
الديانة: مسلمة   رقم البطاقة: ١١١٥٩٢   صادرة من: سان باولو
محل الإقامة: Vicente Prado 110

اسم وكيل الزوجة: أدجانو كرزنالو جنسية: برازيلي ديانة: مسلم   رقم البطاقة: ١٢٧٥٥٦٢٧
اسم الشاهد الأول: بولو أندرا جنسية: برازيلي ديانة: مسلم   رقم البطاقة: ٩٠٨٦٢٨١
اسم الشاهد الثاني: جنسية: ديانة: مسلم   رقم البطاقة: ٢٧٥٥٦٢٢

انه في يوم (٢٨) ديسمبر ١٩٨٥   الموافق   وفي تمام الساعة الخامسة
وفي حضوري انا مدير المركز الإسلامي بالبرازيل – سان باولو –
وامام الشاهدين الموقعين قد تم عقد قران آلويزا دي كرزنالو (أميمة)   البكر الرشيدة
على بولو أندرا أغوادر
على صداق قدره ألف و خمسمئة دولار أمريكي المتقدم منه الآن خطابه الخاتم صيغة ذهب والمؤخر وقت الطلب
وتقر الزوجة ووكيلها والشهود ان الزوجة خالية من الموانع الشرعية

امضاء الزوج:
امضاء الزوجة:
امضاء وكيل الزوجة:
امضاء الشاهد الأول:
امضاء الشاهد الثاني:

دكتور
علي الرفاعي نعمة الله
مدير المركز الاسلامي بالبرازيل
سان باولو

O pai negligente

A minha história é de abandono, de negligência.

De abandono intelectual e emocional, pois, para Olavo, todo o universo gira em torno dele e de suas necessidades.

Assim como na Astrologia, na qual todos os astros e todo o universo giram em torno do indivíduo, Olavo se entendia assim: ele primeiro, depois ele novamente e, talvez, mais à frente, os demais.

Posso dizer que este abandono e indiferença afetaram a mim e a todos os meus irmãos, uns em maior, outros em menor grau, pois ele simples e absolutamente não se importava. Estava ocupado demais com seus projetos, com seus grupos de estudos, com seus objetivos - que naquela época não eram muito claros para mim, com suas viagens e palestras. Ele não tinha tempo para nós, éramos talvez o último item na lista de prioridades do Olavo.

Quem sabe eu possa até soar como uma filha ressentida, como o clichê daquelas que odeiam o próprio pai, mas não era como eu me sentia e, mesmo hoje, não é como me sinto. Não odeio o meu pai, e por causa deste abandono aprendi a ser forte e me virar por conta própria. Cada pessoa lida a seu modo com as dificuldades da própria vida, alguns se tornam fortes como rocha, outros se quebram, e eu não tinha a personalidade de alguém que se quebrasse facilmente, mesmo diante do difícil abandono de meus pais.

A minha relação com Olavo era a de quem vive no mesmo ambiente, e só. Não nutria nenhuma admiração por ele, tampouco o temia, até mesmo porque Olavo sempre foi um covarde, com medo de tudo, de inimigos imaginários que ainda povoam as teorias que ele propaga.

O Olavo paranoico sempre existiu em minhas lembranças, com medo de que houvesse alguém fora de casa, com medo de perseguição. Inclusive, acredito até que esta fixação que hoje ele nutre por armas também possa ter a ver com este medo que o consome. "O mundo é perigoso, cheio de ameaças, e preciso me proteger a qualquer custo", dizia. Foi logicamente a covardia de Olavo que o impediu de entrar na casa arrombada por bandidos e me resgatar.

O certo é que senti falta de afeto e carinho, talvez mais que tudo, falta de atenção ou cuidado. Nenhuma criança deveria ser forçada a se virar sozinha, embora essa seja a triste realidade de muitos lares. Talvez, no tempo de minha infância, o comportamento do Olavo enquanto pai nem fosse tão excepcional, tão exceção, talvez fosse mais normal naquele tempo. Mas o ambiente no qual eu cresci era obviamente incomum. Cresci envolta em concepções esotéricas que beiravam o fanatismo, neste padrão nada convencional de família, em comunidades em que todos viviam sob o mesmo teto, num clima de devoção típico das seitas.

O mais estranho é que, na juventude, eu estava o tempo todo cercada por pessoas, por discípulos do Olavo, mas, ao mesmo tempo, estava sempre sozinha. Estava ali e não. Sequer me interessava pelas teorias e práticas deles. Seguia e obedecia porque era o que se esperava de mim. Era discípula pura e simplesmente porque tinha tido o azar de me correr nas veias o sangue do mestre.

Se eu pudesse escolher, evidentemente que preferiria ter uma vida comum, como a das demais pessoas, ter uma infância convencional, frequentando a escola, ser acolhida e amada, tudo aquilo que nem Olavo nem minha mãe, que até hoje, de uma maneira ou de outra, jamais se desligou dele, foram capazes de me oferecer.

Uma vez que eu, já adulta, passei a cuidar de mim mesma, o contato com meu pai foi rareando até se tornar esporádico. Mal sabia o que ele fazia ou deixava de fazer, e, para ser completamente sincera, acho que nunca me importei muito. Por exemplo, só fiquei sabendo que ele tinha morado por mais de um ano na Romênia após ele ter retornado de lá. Ninguém me contou, ainda menos ele.

Outro caso: só fiquei sabendo que Olavo se mudaria aos Estados Unidos poucos dias antes da viagem dele acontecer, por ele ter me convidado para uma festinha de despedida. Eu não sabia muito sobre ele, e ele não sabia quase nada sobre mim. Portanto, posso repetir sem medo: para Olavo de Carvalho, tudo o que importa neste mundo é ELE mesmo e o que os outros pensam sobre ELE.

Eu, por outro lado, acabei assumindo outro papel, daquela cujo todos os problemas das pessoas acabavam recaindo sobre os seus ombros. A família, quando tinha algum problema maior para resolver, primeiro pensava na Heloísa. Talvez, por causa da personalidade forte que tenho, todos me vissem como capaz de solucionar os problemas do mundo. E para mim era difícil dizer não, mesmo assim sempre impus minhas condições, e uma delas sempre foi que não faria nada que violasse a minha liberdade e os meus valores. Não faria nada que julgasse ser antiético ou errado.

Quando minha mãe ficou doente precisando de auxílio, foi a mim que recorreram, suplicando para que eu cuidasse dela. Fui morar com ela, meus irmãos — o Gugu, o Tales, a esposa e filhas deste—, mais meu padrasto e os filhos dele.

Esta foi uma das principais circunstâncias nas quais tive de impor condições: " Não vou abrir mão da minha liberdade, se quiserem que eu fique com vocês aqui, tenham isso em mente".

E concordaram. Porém Tales, meu irmão que permaneceu convertido ao Islã, não aprovava o meu comportamento.

Em certa feita, apenas porque eu e uma amiga conversávamos à beira da piscina, e a filha dele, adolescente, estava conosco, ele ficou nervoso, puxou a filha e saiu gritando:

– Não quero você conversando com estas putas!

Eu estava ali, fazendo um favor para o meu padrasto ao cuidar da minha mãe doente, e não seria obrigada a me sujeitar a este tratamento.

Pus o meu padrasto contra a parede:

– Ou eu, ou ele.

E meu padrasto preferiu que meu irmão fosse embora e que eu ficasse.

Fiquei muito tempo sem falar com meu irmão, e depois disto a relação nunca mais foi a mesma.

Outra situação difícil foi quando a minha avó, a mãe de Olavo, adoeceu. Mais uma vez chamaram a Heloísa para ajudar. Eu me desdobrando para ficar com ela no hospital, enquanto ouvia as súplicas de minha vó pela presença do filho, ou por um mero telefonema dele.

O Olavo já não falava comigo nesta época, a guerra entre nós já tinha sido declarada, e eu tentava de todos os modos fazendo com que a mensagem da minha avó chegasse até ele, entrando em contato com pessoas próximas ao Olavo, entre elas, Estela Caymmi, uma das mais antigas e fanáticas discípulas do Olavo, que inclusive havia se convertido ao Islã por influência do guru, mas todos me diziam que ele já estava ciente e que ele havia conversado com meu tio. O que era tão e simplesmente uma mentira, pois meu tio afirmava que o Olavo ainda não havia ligado para ele.

Minha vó morreu sem que o Olavo falasse com ela e, para mim, esta foi mais uma demonstração explícita da cruel hipocrisia deste homem que havia se tornado um ícone, não apenas na política, mas em todo um movimento de renascimento do conservadorismo no Brasil, que pregava aos quatro ventos os valores cristãos, que tentava projetar a imagem de um homem de família, mas que era incapaz de dar um único telefonema para sua mãe, que agonizava num hospital clamando por seu nome.

Mas não deixou de enviar uma imponente, vistosa e cara coroa de flores para o velório. Vendo entrar aquela coroa cintilante, para minha surpresa, me deparei com a minha irmã, Maria Inês, toda de preto, com uma Bíblia em mãos, rezando ao lado do caixão. Meus parentes vinham me perguntar quem era aquela moça, já que a maioria deles sequer sabia quem ela era. Até porque fora eu, a filha "ingrata" do guru, que tinha cuidado praticamente sozinha da minha avó em seus últimos dias. Coube-me inclusive, os preparativos para o velório e enterro dela, tendo por fim de pôr meu nome na praça para arcar com os custos do sepultamento, já que não tinha tostão no bolso. Só pude me endividar porque confiava que receberia auxílio de velhos conhecidos, que nunca me faltaram. O guru do conservadorismo e do cristianismo não foi capaz de dar nem um único telefonema para a mãe no leito de morte.

É que o Olavo de Carvalho, vale insistir, sempre vem em primeiro lugar. Ele descarta pessoas de sua vida como quem estala os dedos. Não é só a minha história e de meus irmãos que é de abandono e indiferença, isto ocorre invariavelmente com ex-alunos, ex-amigos e ex-aliados do Olavo. A importância do outro ele só mensura em função do tamanho do provável benefício que receberá ou do grau de devoção ao mestre. Quem quiser que ouse contrariá-lo, mesmo que se trate de uma trivialidade, é empurrado da prancha, para ser devorado pelos tubarões. Mais de um amigo íntimo do Olavo acabou se tornando inimigo mortal dele por causa das questões as mais tolas.

Por tudo isso, reputo quase impossível vir a me reconciliar com ele algum dia. Depois da nossa ruptura descobri outras coisas mais, que só tornaram a minha convicção ainda mais inabalável. Não posso fazer parte disto, digo, deste mundo que o Olavo criou.

Olavo de Carvalho
5 de março de 2017

Momentos inesquecíveis:
Aos nove anos, minha filha Heloisa De Carvalho Martin Arribas me acompanhou numa viagem a Goiás, onde visitamos a fazenda de um amigo. No caminho, ela quis comer umas cerejas em conserva, e, na maior inocência, comprei um vidro para ela. E seguimos viagem, ela no banco de trás, comendo as cerejas. Mas elas estavam boiando em licor, que ela tomou inteirinho. Ao chegarmos, ela estava, sem que eu entendesse por que, completamente bebum...

1 mil   34 comentários   13 compartilhamentos

Luiz Gonzaga De Carvalho Neto Quando eramos crianças eu e meus irmãos brincávamos com armas de verdade (desmuniciadas, claro). Interessante que meu pai nos ensinava a mesmo com as armas desmuniciadas nunca apontarmos uns para os outros e só atirarmos em bandidos imaginários. Nenhum de nós virou ladrão ou assassino e temos ótimas recordações daqueles tempos. Brigadão por nos emprestar suas armas pai 😄

3 a   Editado   Curtir   105

Curtir

1,5 mil

compartilhamento

105
Olavo de Carvalho
Caio Garcia Jardins Jorge
Luan Silva
Lucas Antunes Gomes
Daniel Marqueto Júnior
Alexandre R de Carvalho
Tomoyuki Honda
Dionys Roger
Rudolson Silva Ferreira
Iam Alves
+ mais 95

Luiz Gonzaga De Carvalho Neto Quando eramos c meus irmãos brincávamos com armas de verdade (d claro). Interessante que meu pai nos ensinava a mes armas desmuniciadas nunca apontarmos uns para o atirarmos em bandidos imaginários. Nenhum de nós assassino e temos ótimas recordações daqueles ten por nos emprestar suas armas pai 😄

3 a   Editado   Curtir   105

"Vim para foder com tudo"

Hoje, Olavo de Carvalho é um personagem, uma paródia de si mesmo. Na verdade uma persona que ele mesmo foi elaborando ao longo de muitos anos. Em algum momento, por alguma razão que desconheço, ele assumiu a imagem de polemista e vestiu a camisa. Parece caber bem nela. Contudo, quando criança, não me recordo de ter visto meu pai xingando ou sendo agressivo. Era na verdade um homem tranquilo e bastante despreocupado. Em raras ocasiões vi qualquer alteração no humor dele. Ele simplesmente não se importava com nada; assim como não se importava comigo ou com meus irmãos, não se importava com suas esposas nem com ninguém. Mas prezava por demais a percepção que os outros tinham dele.

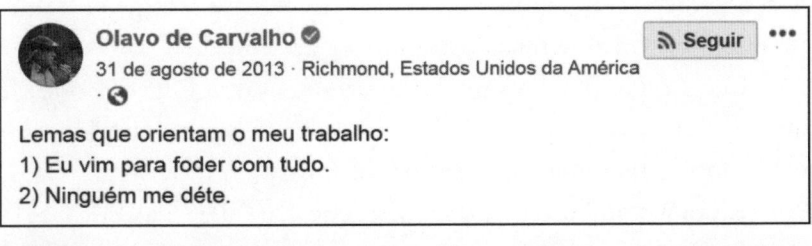

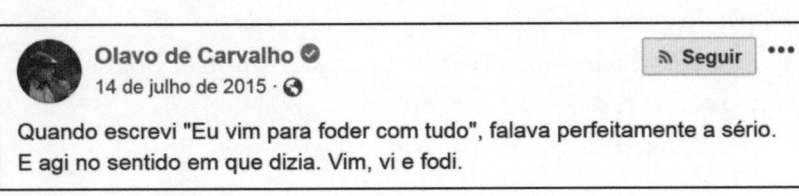

> **Olavo de Carvalho** ✓
> 31 de agosto de 2013 · Richmond, Estados Unidos da América
>
> Lemas que orientam o meu trabalho:
> 1) Eu vim para foder com tudo.
> 2) Ninguém me dête.

> **Olavo de Carvalho** ✓
> 14 de julho de 2015
>
> Quando escrevi "Eu vim para foder com tudo", falava perfeitamente a sério. E agi no sentido em que dizia. Vim, vi e fodi.

Por isso acredito que, em algum ponto de sua trajetória, ele deva ter percebido que esta figura raivosa de sábio enfurecido, sempre a insultar a tudo e a todos, poderia ser vantajosa para ele. E ela a combina com a imagem de um senhor respeitável, indignado com os rumos do país, tomado por comunistas.

Esta nova imagem de meu pai destoa completamente daquela que eu tinha dele: um homem calmo, covarde até, um tanto paranoico e que não se importava, e por isso não se alterava, com nada.

Por causa de suas atividades obscuras, Olavo se envolveu com questões judiciais e policiais, uma delas relacionada à seita Tradição e outra com a tariqa. Esses representaram apenas o começo de intermináveis problemas com a justiça.

Isso se avolumou depois de ter se tornado uma subcelebridade da internet. Meu pai comprou briga com muita gente, insultando e difamando tanto personalidades famosas, quanto professores universitários, por exemplo, conhecidos apenas no ambiente acadêmico. Tem agido como rolo compressor a esmagar o que ou quem encontre em seu caminho de destruição.

Certa feita, numa entrevista, perguntaram a Olavo o que ele queria, dinheiro ou fama? A resposta de Olavo não poderia ser mais direta e inequívoca. Respondeu: "vim para foder com tudo!"

E era justamente isto que Olavo de Carvalho, valendo-se do seu próprio sucesso estava conseguindo realizar: foder com tudo!

Foder aqueles que o cercavam, a si próprio, a política brasileira, ou seja, tudo!

Talvez esta seja mesmo a maior especialidade de Olavo de Carvalho, foder com tudo.

Um dos grandes processos que recaíram sobre Olavo foi movido por Caetano Veloso.

Em 2017, Olavo foi um dos principais responsáveis por levantar uma hashtag no Facebook contra o cantor[17].

A acusação era grave. Era chamado de pedófilo, com todas as letras, um dos maiores cantores e compositores da MPB. Esta acusação se espalhou rapidamente pela internet e foi reproduzida por pessoas próximas ao Olavo, como o hoje deputado federal Alexandre Frota e o blogueiro Flávio Abujamra, mais conhecido nos círculos olavetes como Flávio Morgenstern.

Esta acusação, obviamente difamatória, resultou num processo. Caetano Veloso processou não apenas Olavo de Carvalho, já residente nos EUA e pensando estar imune à justiça brasileira, mas também o MBL (Movimento Brasil Livre), Frota[18] e Morgenstern[19]. O cantor ganhou em primeira instância contra Morgenstern, enquanto os do Olavo, MBL e Frota ainda estão em curso.

No entanto, Olavo também passou a processar seus inimigos, acusando-os daquilo que ele fazia, usando assédio judicial, a chamada litigância de má-fé, como tática para constranger e silenciar seus desafetos.

---

[17] Revista Época, de 1º de junho de 2019, reportagem intitulada "Caetano processa Olavo e justiça notifica escritor nos EUA".

[18] "Caetano processa MBL e Frota após acusações de pedofilia", reportagem publicada em 17 de janeiro de 20198.

[19] Folha de SP, 9 de novembro de 2018, no artigo "Blogueiro Flavio Morgenstern terá que indenizar Caetano Veloso".

Após a eleição do Bolsonaro, esses processos se acumularam, porque Olavo encontrou advogados que "compraram" a sanha do guru e passaram a processar quem quer que dissesse qualquer coisa contra ele.

Um destes alvos foi o jornalista Denis Russo, que escreveu uma longa reportagem para a Revista Época, publicada na edição 1080 de 18 de março de 2019, na qual relata a experiência dele enquanto aluno do curso de Olavo. A matéria intitulada "O Artista da Ofensa", que ocupou 34 páginas, revelava aquilo que todos que um dia tiveram contato com o "professor" Olavo já sabiam: que o curso dele, em vez de um curso de Filosofia tradicional, era usado como válvula de escape para todo o ódio de Olavo pela academia, pelos professores devidamente formados, pelos intelectuais e pela esquerda em geral. E mais do que isto, Olavo também incitou, ao publicar em sua conta de Facebook o endereço e a foto da fachada da residência do jornalista, seus seguidores a atacarem virtualmente Denis Russo, tanto mais ao descobrir-se que este estava trabalhando em um livro no qual relataria esta vivência[20].

Acho que fui uma das primeiras pessoas a ver esta publicação. Fiquei muito revoltada e chorei muito ao ver mais um ato covarde de meu pai, ainda mais porque ele tem noção do mal que isso provoca, pois se esconde nos EUA justamente por medo de ser perseguido. Escrevi para o Denis Russo e pedi desculpas. Até para alguém como eu, que sabia do que meu pai é capaz, este ato pareceu muito baixo e sujo demais.

---

[20] "Denis Russo Burgierman, seu bosta, onde foi que eu pedi censura à imprensa? Processos por crime de calúnia são "censura"? Você é um mentiroso abjeto." Publicação de Olavo de Carvalho, em 15 de março de 2019 no Facebook.

Um mês antes, em 10 de fevereiro, alguns professores universitários foram convocados pelo jornal O Globo[21] para demonstrarem como Olavo não havia compreendido a obra do filósofo alemão Immanuel Kant. Olavo não gostou nada de ver a sua incapacidade de compreensão filosófica exposta em um dos jornais de maior circulação no Brasil. O que ele fez? Insultou alguns dos professores, e quando um deles fez uma tréplica[22], Olavo abriu um processo contra ele. Como a peça continha insultos, a juíza exigiu que ela fosse reescrita[23]. A mesma vil e antiga tentativa de intimidar as pessoas.

Olavo também processou o psicanalista, e professor da USP, Christian Dunker, por causa de um artigo no qual Dunker analisa o ridículo da figura de Olavo e suas contradições[24]. Na peça do processo, mais uma vez o guru insulta e difama o professor. A juíza não aceitou a ação. Essa peça inicial foi contudo corrigida, desta vez sem os insultos. No entanto, o professor Dunker foi absolvido sumariamente[25].

Eu mesma, a filha primogênita do Olavo, também fui processada por ele após ter publicado uma carta aberta, na qual revelava detalhes do meu passado com ele. Neste mesmo processo,

---

[21] Reportagem intitulada "Olavo de Carvalho está errado e não entendeu Kant, dizem três nomes de destaque da academia brasileira".

[22] No artigo "Quão obscurantista é o emplasto filosófico de Olavo de Carvalho?" de Daniel Peres, publicado em 12 de fevereiro de 2019 no Le Monde Diplomatique.

[23] Como pode ser visto na reportagem "Olavo de Carvalho escreve 'idiota e canalha' em processo contra filósofo, e juíza manda ele reescrever" publicada 10 de abril de 2019 n'O Globo.

[24] "Olavo de Carvalho, o 'ideólogo de Bolsonaro', contra o professor Haddad", publicado em 10 de outubro de 2018.

[25] "Processo extinto sumariamente: Olavo de Carvalho sofre 4ª derrota consecutiva na Justiça." Publicado em 1º de maio de 2019 no Diário do Centro do Mundo.

ele acusou a mim e a meus amigos, Jorge Velasco, Carlos Velasco e Caio Rossi – tendo sido Carlos um inscrito no COF (Curso de Filosofia Oline) e Caio Rossi, o editor do Mídia sem Máscara – de calúnia, injúria e difamação. E mais do que isto até, ele fez uma queixa-crime no DEIC-SP (Departamento Estadual de Investigações Criminais, da Polícia Civil de São Paulo) contra nós por formação de quadrilha.

Tudo isto tem a clara intenção de silenciar e intimidar eventuais críticos da personalidade ou da obra do próprio Olavo, que sempre sonhou este lugar sob holofotes, mas, uma vez que atingiu esse objetivo, passou a derreter sob o calor destas fortes luzes.

Como Olavo tem este delírio megalomaníaco de ser o maior pensador brasileiro vivo, que lhe é repetido de maneira incessante por seus seguidores, ele simplesmente não consegue compreender por que há tamanha rejeição ao que ele diz e pensa. A explicação mais óbvia que ele consegue encontrar está calcada em teorias conspiratórias, e que mais uma vez revelam a personalidade paranoica de Olavo: estariam todos conspirando contra ele, o tempo todo.

Olavo, que dedicou a sua vida a atacar, difamar, insultar e caluniar todo mundo, não consegue entender quando surge uma reação e a comunidade acadêmica e artística esboça um esforço para refutá-lo, que ele vê como confrontá-lo.

O fato é que intelectuais de fato e professores até o presente vinham apenas o ignorando. Percebiam que se tratava meramente de uma excentricidade insignificante. Mas, uma vez que o discurso dele deixa de ser marginal e passa a ocupar o centro do poder, na figura do clã Bolsonaro, tornou-se impossível desprezar o impacto de Olavo na política, por rasteiro que fosse. Afinal foi ele quem abriu as comportas para toda uma série de noções e ideias estapafúrdias que se tornaram programa de governo, e nortearam a escolha de seu staff.

Olavo ajudou a eleger um presidente, seja pela propaganda direta, seja pelos contatos escusos com os filhos de Bolsonaro e Steve Bannon. Indicou ministros, chegou a ser cogitado para ministro da Educação ou da Cultura, que ele recusou, para depois se oferecer ao cargo de embaixador do Brasil nos EUA.

Olavo desempenha profunda influência sobre os filhos do Bolsonaro e chegou mesmo a ser condecorado por eles. Gradualmente, suas ideias têm conquistado espaço na imprensa, e temos hoje uma grande emissora de rádio que é visivelmente "olavete", a Jovem Pan, da qual o diretor de jornalismo é discípulo de Olavo e lhe escreveu o prefácio de um dos maiores best-sellers do guru.

O sonho do Olavo, o de foder com tudo, estava assim se cumprindo, e isto certamente impactará o Brasil por décadas.

Possivelmente o auge da glória do Olavo tenha sido jantar com Bolsonaro nos EUA com Steve Bannon, que foi o estrategista-chefe da campanha eleitoral de Donald Trump e que, atualmente, empreende um esforço global de unificação da extrema-direita. Olavo e Bannon se encontraram em algumas ocasiões[26] e, atualmente, Bannon se comprometeu a importar as ideias de

---

[26] "Um jantar com Steve Bannon e Olavo de Carvalho", reportagem publicada em 20 de janeiro de 2019 no Estadão.

Olavo para os EUA[27], pois vale lembrar que, embora o guru more no estado da Virgínia desde 2005 e já fosse uma personalidade bastante conhecida nos meios conservadores brasileiros, nos EUA, Olavo de Carvalho é um completo anônimo.

No fundo, o que vemos é um ciclo que se fecha: Olavo de Carvalho importa as ideias e teorias conspiratórias da extrema-direita norte-americana para o Brasil, e agora, através de Steve Bannon, as ideias e teorias conspiratórias de Olavo de Carvalho serão reassimiladas no cenário político americano.

E pensar que tudo isto começou com seitas esotéricas e escolas de astrologia, depois com polêmicas e muitos xingamentos na internet. Olavo de Carvalho percorreu um caminho tortuoso até onde se encontra hoje, mas continua incapaz de lidar com críticas.

---

[27] Como exposto no artigo "The mask of Bolsonaro's guru, Olavo de Carvalho, slips" em 22 de março de 2019 no Finantial Times.

Já no processo que moveu contra mim, Heloisa, Olavo não compareceu às audiências e, por fim, para evitar prejudicar meus amigos, que não cometeram qualquer crime e só foram envolvidos nisto para que Olavo se vingasse deles, me senti moralmente obrigada a fazer um acordo com meu pai, que incluía não falar mais sobre a minha carta aberta, nem publicá-la no Facebook. Já a investigação por formação de quadrilha terminou arquivada por falta de tipificação penal, pois este crime geralmente está relacionado a grandes grupos criminosos, como Yakuza ou Cosa Nostra. Esta acusação de que eu era chefe de quadrilha rendeu uma charge nas mãos do famoso cartunista João Spacca.

Todavia, é difícil pensar que este livro também não me renderá um processo, pois meu pai tem sérias limitações para lidar com a verdade. No mundo fantástico de inimigos imaginários do guru, ele sempre será o herói e, ao mesmo tempo, a vítima de analfabetos funcionais que procuram um atalho para sair dessa condição, ao invés de um caminho mais profícuo, contudo mais árduo, do estudo sistemático de apropriação do conhecimento acumulado pela humanidade em gerações. Afinal, seguir um líder é sempre mais fácil.

A barca egípcia e outras histórias bizarras

"Por ex.: gato cura dor de cabeça! Como faz? Você olha o gato colocando o olho nele de tal maneira contra a luz de modo que você veja o fundo (que parece uma lua). A hora que a luz bater lá e você olhar, a dor de cabeça para. E o gato dorme quinze horas seguidas. Isto é magia. A definição de magia é você operar defeitos físicos através de imagens, através do olhar. Existem remédios para isso por via cutânea, sublingual, anal etc."

Do curso de Alquimia, ministrado por Olavo de Carvalho em 1996.

Meu pai se envolveu em muitas histórias inacreditáveis e bizarras. Algumas delas no tempo que eu morava com ele, outras foram antes de eu nascer. Sim, algumas são meros boatos, mas outras são absolutamente reais.

Justamente por isto, mesmo sendo sua filha, é complicado pra mim separar o que é fato do que é invenção, vez que o próprio Olavo se esforçou para apagar as partes mais constrangedoras de seu passado.

Uma destas histórias bizarras, quase mitológicas, mas que não posso atestar se ocorreu exatamente desse modo, é a da "barca egípcia", que acabou virando piada entre os críticos do Olavo de Carvalho nos últimos anos. Segundo relatos, Olavo teria construído no porão da casa na qual vivia, no bairro de Pinheiros em São Paulo, uma barca egípcia para que pudesse realizar a transmigração de sua alma. Mas não apenas isto, teria se encerrado neste porão erguendo uma parede de tijolos que o separava do mundo exterior, mais ou menos como faziam com as tumbas dos antigos faraós.

Se isto for verdade, tratava-se possivelmente de algum ritual iniciático, mas que teria dado errado. Alguns dias depois, sem comida nem água, e sem transmigração da alma também, Olavo teria suplicado por ajuda, gritando desde a sua tumba no porão da casa. Minha mãe e meus irmãos teriam vindo ao socorro dele, mas quando foram tentar resgatá-lo, não conseguiam derrubar a parede de tijolos e foram obrigados a chamar os bombeiros.

Uma cena cômica da qual é difícil pra mim atestar a veracidade, ainda que tenha ouvido relatos de pessoas próximas a ele, mas das quais não tenho como saber se são confiáveis, pois nem lembro mais sequer o nome.

Por outro lado, há vários outros eventos para os quais temos confirmação, e isto inclui a participação de Olavo em diferentes seitas – seitas estas famosas por práticas como troca de casais e abortos ritualísticos. Uma destas seitas, a *Tradição*, da qual Olavo foi líder no Brasil de um grupo, acabou se tornando notícia nos jornais por causas destes rituais medonhos[28] e, para tentar se desvincular disto, Olavo de Carvalho alegou que estava sendo perseguido por integrantes desta seita[29].

---

[28] "Tradição, a seita que extorque em dólares, agora caso de polícia", publicada no jornal O Estado de S. Paulo em 10 de janeiro de 1986.

[29] "Astrólogo diz que recebe ameaças por ter denunciado atividades de seita", publicado em 11 de janeiro de 1986 na Folha de SP.

CARVALHO, Olavo de

Astrólogo, 39 anos.

11.1.86, Ref. a Recorte do jornal Folha de São Paulo, intitulado:"ASTRÓLOGO DIZ QUE RECEBE AMEAÇAS POR TER DENUNCIADO ATIVIDADES DA SEITA"- O nominado principal testemunha contra a seita TRADIÇÃO (ligada ao sufismo, de origem arábico-persa) que várias pessoas acusam de exploração financeira envolvimento em negócios escusos e indução a desvios sexuais, afirma / que recebeu um telefonema ameaçador, por volta do meio-dia de ontem.
(17-D-13-5498)

Olavo pertenceu a este tipo de seitas durante muitos anos e foi nelas que aperfeiçoou as técnicas que lhe seriam muito úteis anos depois, ao iniciar a sua transição de guru de seita para "filósofo".

Ainda quando eu vivia com Olavo na tariqa Tradição, presenciei um caso que se gravou em minha memória, de uma criança, filha de membros da comunidade do Olavo, que nasceu com duas protuberâncias na testa, quase como se fossem chifres incipientes, e que teve de passar por cirurgia plástica para removê-las. Para mim, isto parecia ser um sinal das atividades realizadas, satânicas, quase um bebê de Rosemary. Esta criança era filha de um dos chefes da tariqa no Brasil e que hoje ainda tem a mãe dela como aliada e fiel escudeira do guru Olavo, e – pasmem! – esta moça hoje, em 2019, é professora de catecismo na Igreja Católica.

Estas práticas ritualísticas continuaram, de um modo ou de outro, mesmo após a conversão de Olavo de Carvalho ao catolicismo, já que, em cursos que ele ministrou anos depois, o guru ainda se munia de práticas e princípios decorrentes de seus tempos de líder de seita.

Ex-alunos do Olavo, que participaram de seus cursos de Filosofia, relatam como a própria estrutura do "método olaviano" como professor de Filosofia também possui características de uma seita, vetando qualquer divergência de ideias. Ali, o que você tem é um sábio que entende de tudo e que sempre tem a palavra final, e qualquer aluno que porventura venha a contestá-lo ou questioná-lo é considerado um idiota ou semianalfabeto.

> **Olavo de Carvalho** ✓
> 28 de abril
>
> Só no Brasil mesmo. Se o sujeito estuda esoterismo islâmico ou astrologia como "observador participante", ele é um criminoso que deve ser excluído do meio universitário, mas, se ele usa o mesmo método para estudar "orgias gays", ele é um cientista social respeitável.

> **Olavo de Carvalho** ✓
> 5 de dezembro de 2014
>
> Aparentemente, não tenho alunos nem leitores: tenho seguidores, devotos, fiéis, militantes e cultores idolátricos. Todos iletrados e de baixíssimo QI. Ninguém discute as minhas idéias nem me cobra explicações. Ninguém ousa sequer fazer perguntas. Todo mundo recorta o que eu escrevo, gruda na parede, decora e recita antes de dormir para ver se ganha na loteria.

Assim como um líder de um grupo de fanáticos, tudo passa pelo Olavo de Carvalho: ele é a fonte do conhecimento, ele é quem interpreta os textos e tudo acaba nele também. É o Alfa e o Ômega do conhecimento.

E isto pode ser percebido claramente no conteúdo daquilo que ele diz no COF, que, de certo modo, foi o que trouxe a notoriedade do Olavo nas redes sociais: um curso interminável, que se prolonga por anos, com centenas de aulas, muitas dedicadas exclusivamente a ofender desafetos seus, e no qual um aluno jamais se formará ou receberá um certificado, já que o próprio "professor" Olavo não possui nenhuma qualificação acadêmica que lhe permitiria isto.

O COF possui algumas funções: a primeira delas é a de consolidar Olavo como um intelectual conservador, abrindo assim as portas para ideias que foram suprimidas durante décadas de domínio cultural esquerdista, depois, é uma válvula de escape do Olavo pela qual ele pode insultar qualquer filósofo, professor, artista ou intelectual de quem ele resolva discordar no curso. No COF, Olavo de Carvalho já refutou, ou melhor, julga ter refutado, por exemplo, Isaac Newton[30], Albert Einstein[31] e Stephen Hawking[32], além de atacar incessantemente qualquer pensador, aos quais ele chama todos, de maneira genérica inconsequente e incorreta, de esquerdistas. Acresce que Olavo discorre sobre todos os assuntos

---

[30] "O problema com a física de Newton é que, quando um sujeito aceita uma tese autocontraditória como se fosse uma verdade definitiva, a contradição não percebida se refugia no inconsciente e danifica toda a inteligência lógica do infeliz. Newton não espalhou só o ateísmo pela cultura ocidental: espalhou o vírus de uma burrice formidável. Uma parcela da elite intelectual já se curou, mas a percepção da realidade pelas massas (incluindo a massa universitária de micro-intelectuais) continua doente de newtonismo. A quantidade de tolices que isso explica é tão infinita quanto o universo de Newton." Olavo de Carvalho, em artigo publicado no Jornal do Brasil em 15 de junho de 2006.

[31] "Então um cidadão chamado Albert Einstein viu isso e achou que era preferível modificar a física inteira só para não admitir que não havia provas do heliocentrismo." Olavo de Carvalho, em vídeo publicado em 2012.

[32] "A ideia de Stephen Hawking, de que todo o processo da criação e evolução do cosmos pode ser explicado integralmente pelas quatro forças físicas fundamentais, só poderia reivindicar uma base científica caso fosse possível comprovar experimentalmente a cadeia causal inteira que leva do encontro originário daquelas quatro forças até algum acontecimento da ordem interior humana, como por exemplo o momento em que Michelangelo criou o esquema da Capela Sixtina [sic] ou o próprio momento em que Hawking teve a inspiração da sua teoria. Seria preciso também que a comprovação desse processo causal pudesse ser repetida inúmeras vezes. Sem isso a ideia de Hawking é pura metafísica, e metafísica bem chinfrim, porque nenhuma metafísica digna desse nome ousa ter pretensões de ciência quando não dispõe sequer de um único exemplo de comprovação experimental e nem mesmo, aliás, da possibilidade teórica dessa comprovação. Creio que Hawking, ao formular essa ideia, que não chega a ser sequer uma teoria, já tinha passado da sua fase mais criativa e se encontrava em pleno declínio das suas faculdades intelectuais." Olavo de Carvalho, em publicação de 5 de dezembro de 2018, no Facebook.

imagináveis, sobre Filosofia, evidentemente, mas também sobre História, Sociologia, Ciência Política, Teologia, Física, Pedagogia, comenta notícias e, o conteúdo obrigatório e que talvez seja o que mais dá prazer ao Olavo, a arte do insulto, pois ele compreendeu o poder das ofensas, num mundo tão polarizado, como um fator de agregação da revolta no interior das pessoas.

Foi por esses insultos, algo que mal dá pra acreditar a priori, que toda uma geração de jovens usuários da internet passou a admirar Olavo de Carvalho como um guru que sempre acerta suas previsões, mesmo quando erra, e como erra! Basta pensar nos próprios títulos de duas das principais obras dele: "O Imbecil Coletivo" e "O Mínimo que você precisa saber para não ser um idiota". Olavo de Carvalho parte da pressuposição que apenas ele é culto, inteligente e conhece a verdade (como se algum deus tivesse aberto a ele e só a ele a máquina do mundo), todos os demais são imbecis, idiotas ou analfabetos funcionais, inclusive seus próprios alunos e seguidores.

Para Olavo, não há inteligência fora de si, no máximo há alguma entre seu círculo de discípulos mas, nas mais das vezes, nem entre eles. Tampouco há qualquer tipo de produção realmente relevante se não for dos poucos autores que ele chancela em suas aulas — autores esses que, frequentemente, não são reconhecidos em seus respectivos campos de conhecimento, pelo contrário, são exaltados tão somente pelo guru, isso acaba lhe favorecendo, pois que não há quem vá lhe contestar sobre algo que praticamente apenas ele leu.

E é evidente o impacto das ideias daninhas do Olavo. Elas encontraram espaço no debate público brasileiro e o contaminaram. Hoje, entre o séquito de "olavetes" que se disseminaram pela imprensa, internet e, na cola do Bolsonaro, também na política, o tratamento dispensado aos opositores é justamente este: todos são apresentados como imbecis, idiotas ou analfabetos funcionais.

Quando você tem alguém como o meu pai, com toda esta formação em seitas esotéricas com rituais pavorosos, que sabe muito bem como manipular a mente das pessoas, assumindo este protagonismo na política, não dá para esperar coisa boa. E espero que esse alerta que faço com dor no coração, não me sinto feliz falando isso, mas me sinto como alguém que está tão somente cumprindo sua obrigação com as pessoas que merecem saber essas verdades que sei e que podem sim libertar muitas pessoas, desde que estejam realmente interessadas em conhecer a verdade fatual, para além da verdade emanada do líder que seguem. E também de pessoas que não o seguem e que, a partir desse livro-relato, terão como alertar algum amigo ou familiar a esse respeito.

A minha reação a ele, mais do que a de uma filha que sofreu na pele as consequências de uma infância completamente infeliz e fora do normal e até fora da lei, é também uma reação às ideias dele, guiadas pelo ódio, com um potencial devastador que mal podemos mensurar.

E é óbvio que meu pai faria todo o esforço possível para ocultar o passado obscuro que produziu e viveu, com histórias estranhas, com amplo potencial para afetar a sua credibilidade, e até mais do que isto, poderiam pôr em cheque mesmo a sanidade do Olavo. Pois não dá para esperar moderação de alguém que durante toda sua vida foi extremado em suas visões e práticas como:

integrante do Partido Comunista, astrólogo, membro e líder de seitas, por fim, uma figura ultrarreacionária em pleno esforço para se passar como "o maior intelectual brasileiro vivo".

O que me espanta é que haja tanta gente para comprar esta ideia. Claro está que para a história do conhecimento ele não merecerá sequer uma nota de rodapé, mas preocupa a atualidade, em que pessoas são transformadas em zumbis, com o seu senso crítico rebaixado ou até ausente.

A imagem do pai de família margarina

Quem assiste ao documentário sobre meu pai, "O Jardim das Aflições", dirigido por Josias Teófilo, fica naturalmente com a impressão que Olavo é o típico pai de comercial de margarina, bondoso, tranquilo, sorridente, cercado de parentes, um perfeito vovozinho brincando com os netos.

Considero uma pena que este documentário não passe de uma peça de propaganda olavista, assim como outros documentários dos quais Olavo também fez parte, como os produzidos pelo Brasil Paralelo. No fundo, todos têm um único objetivo: vender a teoria conspiratória da "guerra cultural".

Vejamos como o "Jardim das Aflições" é estruturado. Em três partes, mostra o Olavo filósofo, sempre cercado de livros, depois o Olavo pai de família, e encerra com Olavo "o sábio". É um filme com a clara intenção de recuperar, diante da opinião pública, a imagem de Olavo, que certamente se desgastava com seus arroubos de fúria nas redes sociais e por trechos das aulas dele publicados na internet.

Por um lado, você tem o Olavo polemista, sempre xingando os demais, criando brigas desnecessárias, incitando perseguições, mas esta não é uma imagem que você naturalmente associaria a um "sábio filósofo", alguém capaz de controlar seus impulsos de raiva e pensar com ponderação. Então é aí que entra o documentário de Josias Teófilo, para reabilitar Olavo como um homem calmo, pacífico, vivendo em seu ninho familiar. Deste modo, eles separam muito bem o homem público, de alguém tão indignado com os males do mundo e que fala "com o coração na mão", nas palavras do próprio Olavo, ou seja, insultando todo mundo, e da vida privada e sossegada de um pensador que vive rodeado de milhares de livros que, até onde sabemos, se os leu, Olavo os compreendeu realmente muito mal. A impressão que dá é que ele lê textos sobre os livros que comenta, mas não enfrenta os textos filosóficos de fato. Não sou filósofa, não tiro esse julgamento, portanto, do meu conhecimento filosófico, mas tão somente do meu discernimento, que aponta o abismo que há entre ver o Olavo falando de um tema e um intelectual de verdade falando sobre esse mesmo tema.

E aí reside o segundo ponto do filme, de mostrar Olavo como um erudito com uma profunda compreensão da realidade, quando, ao se analisar o que ele fala, descobrimos que são leituras imprecisas e distorcidas destes autores. Menos que isso até, porque tratam-se na verdade de meras obviedades e platitudes, que reproduzem o senso comum, escamoteado pela citação de autores, quase sempre obscuros e que poucos se darão o trabalho de ler para constatar se o uso que Olavo faz deles tem algum sentido. Mas cita também filósofos consagrados, mas numa leitura que não resiste ao menor excrutínio de um acadêmico ainda que mal-formado, que fácil o confrontam publicamente, mas sem respaldo na grande opinião pública, afeita apenas ao estrondoso e, de preferência, tóxico. Na boca de Olavo, Aristóteles, Platão ou São Tomás de Aquino são sempre Olavo, e nunca estes autores mesmos. Uma pena.

Numa das primeiras cenas do filme, vemos Olavo caminhando pelo quintal de casa com um rifle nos ombros e depois disparando-o.

Logo de cara já temos o solo sobre o qual toda a narrativa do documentário vai se desenrolar: Olavo é um homem sereno, de vasta erudição, mas, acima de tudo é um patriarca, forte e capaz de proteger a sua família. É por isto que esta imagem cai tão bem em certos setores do público brasileiro, tão carentes de referências fortes e impositivas, que não propõem dúvidas – o cerne das grandes filosofias – mas sim certezas, que pertencem ao domínio das verdades reveladas.

Olavo não é um filósofo no sentido natural da tradição ocidental, mas uma figura sapiencial que de seu refúgio, nas matas da Virgínia, conseguiria se distanciar das falsas normas sociais e interpreta o mundo como um espírito livre. Para Olavo e seus discípulos, não basta a interrogação, são necessárias respostas auricravadas em pedra, e que sirvam como tábua de salvação assim como as tábuas da Lei dadas a Moisés por Javé no Monte Sinai: Existe uma resposta pra tudo, e só Olavo a conhece.

Na segunda parte, vemos Olavo cercado por familiares, a esposa Roxane, que havia sido uma dentre as várias esposas simultâneas de Olavo durante o período que esteve convertido ao Islã, filhos, genro, nora e netos. A cena de Olavo sentado no sofá de casa brincando com o netinho ou todos reunidos à mesa fazendo uma prece antes de jantar é algo que jamais presenciei durante todos os meus anos vivendo com ele. É uma cena de ficção, criada justamente para reforçar este imaginário do gentil pai de família, inclusive, o meu filho André, o primeiro neto do Olavo, com trinta anos de idade quando da gravação do filme e para o qual ele não foi convidado a dar um depoimento, nunca teve o seu avô "cristão" participando de sua vida, mas, ao mesmo tempo, este neto, em diversas oportunidades, saiu de seu lar, de sua cidade, para ir visitar e abraçar um avô, que mesmo assim nunca lhe retribuiu o afeto.

O documentário é unidimensional e nos apresenta apenas a perspectiva do Olavo, que, no fundo, representa também a seita que ele lidera. Não existe nada fora do Olavo e daquilo que ele diz. Não há contraposição. Não há diálogo nem controvérsias. Ele é o pai, o patriarca, o caçador de ursos, o líder, o professor, o profeta, o filósofo. E todos os demais orbitam esta figura buscando um pouquinho de seu imenso conhecimento transcendental.

Quando eu soube da pré-estreia em São Paulo, solicitei convites para mim e meu marido, porém, o diretor Josias Teófilo me respondeu dizendo que teria um assento somente para mim, a filha do Olavo, mas não para meu marido. Isto me surpreendeu e me revoltou. Numa conversa com Josias no Whatsapp, eu alterada lhe disse, confesso:

– Ou tem convite para mim e meu marido, ou eu entro aí e dou na sua cara!

No dia seguinte, meu pai intercedeu e mandou que Josias liberasse quantos convites eu quisesse.

Eu e mais dois amigos fomos à pré-estreia. Além deles, um "olavete" vigarista me usou para ter seu nome incluído na lista de convidados, porém, no dia da sessão, ao passar por mim, fingiu que não me conhecia.

Este filme foi um outro estopim para a ruptura que houve entre mim e Olavo. Eu acreditava que meu pai tinha mudado, que tinha melhorado ao longo destes anos, mas não, vi que ele continuava igual, o mesmo homem manipulador e egocêntrico que sempre foi.

A vitória que é uma derrota

— Sua puta, vagabunda! se uniu a um maconheiro vagabundo para me foder!

Isto foi o que meu pai me disse na última vez que conversei com ele por telefone. Este foi o ponto de ruptura, que se deu por conta do filme sobre meu pai, "O Jardim das Aflições", dirigido pelo cineasta, agora "olavete" inveterado, Josias Teófilo.

Neste filme, que arrecadou mais de R$ 315 mil numa campanha de financiamento coletivo[33], é feito um esforço monumental para retratar Olavo de Carvalho como um velhinho bondoso, respeitoso, pai de família e extremamente erudito e católico. Mas até hoje não entendo como, sendo eu a primogênita de seus oito filhos, meu pai não me batizou na Igreja Católica, já que ele se diz cristão desde criancinha.

Há muitas cenas dele em sua biblioteca, que também lhe serve de escritório, bem como de seu quarto, pois, desde muito criança, lembro-me que era onde Olavo sempre dormia, desde a Escola Júpiter nos anos 80. É ali onde ele grava as aulas de seu curso interminável, que já se prolonga há anos e no qual ninguém jamais se forma nem jamais receberá, imagino, qualquer diploma ou certificado de qualificação.

---

[33] "Produtoras de cinema embarcam em "guerra cultural" de Olavo e ganham apoio", publicada em 10 de agosto de 2019 na Exame.

A fórmula do ideólogo charlatão é manter os discípulos perpetuamente acorrentados a ele. Foi nesta mesma biblioteca que, já após a vitória do Bolsonaro e com a figura de Olavo consagrada como do guru deste novo governo, que ele foi entrevistado pelo jornalista Pedro Bial e se apresentou como o mais sábio dentre os sábios todos. Chegar ao topo do mundo foi, de certo modo, uma vitória pírrica para Olavo de Carvalho. Ele atingiu seus objetivos, de ser internacionalmente conhecido, porém, ao mesmo tempo, as suas fragilidades e o seu charlatanismo vieram a ser expostos à luz do sol. Tata-se de um vitória que é também uma derrota. Não poderia ser de outro modo. Não sei se Lula está com a verdade, nem me cabe discutir isso aqui, mas apenas acho que ele tem razão quando diz que a verdade vencerá. Sim, a verdade sempre vencerá, pode demorar, mas ao cabo ela prevalece, ainda que de modo relativo.

O que relatei acima eu já intuía que poderia ocorrer quando o documentário sobre ele estava sendo filmado em 2017, o que eu não podia prever era o tamanho do sucesso que Olavo obteria. É claro que, naquela época, me orgulhei dele enquanto filha, afinal de contas, apesar de todas as diferenças, do abandono, do meu passado com ele, Olavo ainda é o meu pai e sempre será, mas o Olavo de Carvalho, o guru, o "filósofo", eu não reconheço e não aprovo o que ele faz. Diferentemente se posicionam meus irmãos, até porque os sete vivem da marca OdeC.

Contudo, meu pai já havia entrado, de certo modo, no imaginário coletivo, quando o slogan "Olavo tem razão" que foi erguido nas manifestações pelo impeachment da ex-presidente Dilma Rousseff. Para muita gente, o dom profético de Olavo havia se revelado na crítica precoce que ele havia feito ao PT, quando ninguém ousava fazer isto publicamente.

Já por volta de 2004, Olavo havia começado a sua batalha contra Lula e o petismo, tanto em seus artigos no jornal quanto em seus cursos online. Foi uma de suas principais bandeiras, ao lado da luta pela instauração do pensamento conservador no Brasil que, segundo ele, sempre foi sufocado pela hegemonia esquerdista em todos os níveis institucionais brasileiros, inclusive mesmo durante o regime militar; segundo Olavo de Carvalho, se a esquerda conseguiu se reorganizar mesmo antes da redemocratização, foi porque os militares permitiram[34].

Vale ressaltar que "comunista" é uma das muitas acusações genéricas de que Olavo se vale para atacar qualquer que destoe da sua visão de mundo, retrógrada e obscurantista, algo que nunca se esclareceu em minha mente, já que Olavo de Carvalho pertenceu ao Partido Comunista, quando, à época, participou de um sequestro com cárcere privado, como ele mesmo relata.

Em 1985, procurou o advogado do PT, que era nosso vizinho de casa da frente. Olavo bateu à sua porta para pedir ajuda para mover um processo contra a seita Tradição, que chegou a ser matéria de uma reportagem da Rede Globo naquele mesmo período. Quando acuado ou intimidado, Olavo se volta contra

---

[34] "Geisel abriu o caminho para que os comunistas tomassem o país de volta, deu dinheiro dos nossos impostos para ajudar Cuba a matar uns dez mil angolanos e instalar uma ditadura socialista na antiga colônia portuguesa, inchou a burocracia estatal o quanto pôde e diluiu a velha aliança entre o Brasil e os EUA, mesmo ao preço de assinar um desastroso acordo de energia nuclear com a Alemanha." Publicado por Olavo de Carvalho em 15 de outubro de 2007 no Diário do Comércio.

seus amigos ou sua família; eu sou a prova viva disto. Penso que a rejeição de Olavo à esquerda se devia mais ao fato de ele ter sido rechaçado pelo PT ao tentar se aproximar dele do que de fato por qualquer discordância intelectual ou política.

Para mim, mesmo quando acredita seriamente em algo, Olavo não tem compromisso real com qualquer ideologia ou crença; o que ele sempre almejou foi o reconhecimento e fama e, para isto, venderia a alma ao diabo se necessário fosse, algo típico de alguém capaz de submeter seus filhos ainda crianças a ver a mãe deles ensanguentada numa maca, presa a uma camisa de força.

Naquela época, Olavo já havia iniciado a sua transição de líder esotérico e espiritual para um autoproclamado filósofo sem ter cursado Filosofia ou mesmo outra área das ciências humanas e, por isso, sem qualquer respaldo ou mesmo reconhecimento da academia, que simplesmente ignorava a existência deste embusteiro com produção sem qualquer relevância no cenário filosófico universitário. Os constantes ataques empreendidos por Olavo de Carvalho contra professores universitários, contra a instituição universitária e contra reconhecidos filósofos contemporâneos eram uma evidência deste ressentimento que permeia toda a produção olavista. Nesse sentido é justo supor que o grotesco ataque do atual ministro da Educação, Abraham Weintraub, contra a universidade seja uma condição de quem o colocou no cargo, a saber, o próprio guru do qual neste livro pretendo expor uma faceta pouco conhecida, pois que restrita ao seu ciclo íntimo e familiar.

Se havia um sentimento que motivava Olavo era o de ser um gênio incompreendido, que só seria reconhecido e reverenciado de fato pela posteridade. Segundo Olavo, o Brasil atual não estava preparado para entender a dimensão de sua própria grandeza, que o trabalho dele influenciaria por décadas no futuro, criando uma linhagem de intelectuais conservadores brasileiros.

Sem dúvida alguma, Olavo de Carvalho foi um dos muitos agentes que contribuíram para uma insurgência inaudita contra a esquerda, que foi se fortalecendo nos anos seguintes, junto com a imprensa e diversas alas políticas. Por um lado foi um movimento internacional, que se viu nas mais distintas partes do mundo, mas no Brasil foi Olavo quem forneceu um embasamento teórico de aparência consistente para muitos jovens que viram no guru uma alternativa para um cenário intelectual que, segundo eles, tinha como meta a destruição de valores cristãos e de um modelo de sociedade tradicional da família de bem.

A essência da mensagem de Olavo de Carvalho é, no fundo, uma reprodução de teorias conspiratórias norte-americanas propagadas em círculos extremistas do conservadorismo, teorias que pregam a existência de um pretenso marxismo cultural, isto é, um projeto global dos comunistas para se infiltrarem nas instituições educacionais, midiáticas, políticas e culturais, para deturpar os valores ocidentais e destruir o sistema capitalista de dentro para fora. Acredite-se.

Segundo esta teoria conspiratória, isto estaria codificado nas obras do filósofo italiano Antonio Gramsci e dos pensadores da Escola de Frankfurt; enfim, uma revolução cultural que prepararia o terreno para finalmente atingirem o objetivo principal do comunismo: a destruição do capitalismo, a implantação de uma ditadura do proletariado e o fim do pensamento livre-a máxima doutrinação ideológica. Até que ponto Olavo de Carvalho realmente acredita nisto é difícil mensurar. Será que ele acredita de fato que há uma ameaça comunista no mundo? Improvável, no mínimo.

Na realidade, pouco importa quais são as crenças fatuais do Olavo, mas sim como todo o discurso e as obras dele permitiram a intoxicação do debate político no Brasil e a radicalização de seus alunos através dos mesmos métodos que o guru já utilizava com seus discípulos enquanto mestre esotérico. Até onde eu saiba, o que importa mesmo para Olavo é ser o líder, ser admirado e reconhecido. Justamente por isto que o documentário sobre ele, "O Jardim das Aflições" se converteu em mais um tijolo na construção deste imaginário do Olavo como o líder de uma paradoxal revolução conservadora no país, que finalmente enterraria de vez a esquerda e propiciaria anos gloriosos com hegemonia de extrema-direita.

Neste documentário, é possível notar como são abundantes as cenas familiares, com Olavo sendo retratado como um vovô carinhoso, o que certamente não corresponde à realidade, já que Olavo, como sabemos, nunca deu muita atenção nem aos filhos, muito menos aos netos, com o exato intuito de representá-lo como o modelo de uma família cristã exemplar. Sem essa imagem, o guru perderia parte da sua legitimidade como intelectual cristão, principalmente porque foi ele quem cunhou o conceito de "paralaxe cognitiva", quando a vivência real do filósofo contradiz sua construção teórica.

E o que há de mais contraditório que um dito pensador conservador e católico fervoroso com uma vida desregrada, plena de desrespeito às normas sociais e comportamentais próprias de um ambiente cristão, regada a insultos, difamação e ataques a opositores políticos e intelectuais, desprezando a própria família e muitos dos principais valores cristãos encontrados nos Evangelhos? Há, de fato, uma tremenda contradição entre o que Olavo diz acreditar e o que ele pratica, entre os valores que ele defende e como ele vive e age. Quis o destino que eu tivesse que conviver com essa verdadeira mancha, sem que pra ela sinta que eu tenha contribuído.

Meu pai é um típico exemplo de alguém que se torna aquilo que ele mesmo condena. Aliás, isto fica ainda mais evidente na máxima tão repetida por Olavo e seus seguidores, atribuída apocrifamente a Lênin: "acuse os adversários do que você faz, chame-os do que você é". Se há alguém que segue este princípio ao pé da letra, este é o Olavo de Carvalho, sempre acusando os outros do que ele faz e chamando-os daquilo que, na verdade, o próprio Olavo, se tiver a mente minimamente sã, só pode pensar a respeito de si mesmo.

Fui à pré-estreia do documentário em 31 de maio de 2017, no Shopping Metrô Santa Cruz em São Paulo, e, como eu disse, cheguei até a me orgulhar de meu pai, embora soubesse que aquele filme estava mais para a ficção. O Olavo de "O Jardim das Aflições" estava bem distante do Olavo real, que me pôs neste mundo. Isto é algo que posso assegurar, sem dúvida alguma. A cena deles rezando o Pai Nosso em inglês antes do jantar, por exemplo, me causou incômodo e consternação. Olavo sequer ensinou seus filhos a rezar o Pai Nosso, nem mesmo em português, quanto menos em inglês.

O documentário causou uma enorme onda de protestos quando tentaram projetá-lo em universidades pelo Brasil[35]. Enquanto, por um lado, Olavo havia se tornado o símbolo de uma direita renovada e que vinha com força total para, quem sabe, reconquistar espaços na política, por outro lado, justamente por isto, ele também era visto como uma enorme ameaça por causa de seu discurso divisivo, retrógrado, anticientificista e antiacademicista.

Para muitos alunos e professores, era um desfavor projetar em universidades o documentário sobre uma personalidade cuja retórica destilava ataques a esta instituição. Professores e alunos foram acusados de querer censurar a pluralidade de ideias e isto jogava mais lenha para alimentar as chamas das falas olavistas de doutrinação esquerdista nas universidades. Segundo o Olavo, era precisa expurgar o ambiente acadêmico destes comunistas autoritários. Duas forças em choque que contribuíam para a radicalização dos discursos.

Então foi quando me vi envolvida em uma briga que não tinha nenhuma relação comigo, mas à qual eu não pude assistir impassível. Daniel Aragão, o diretor de fotografia do filme, foi jogado para escanteio, e completamente ignorado nas entrevistas que se seguiram com o diretor Josias Teófilo sobre a obra. Ele

---

[35] "Exibição de filme sobre Olavo de Carvalho termina em confusão na Ufba", publicado em 13 de novembro de 2017 no Jornal Correio.

manifestou sua indignação nas redes sociais. Tudo que o Daniel queria era ser reconhecido por seu trabalho.

Vendo que ele estava sendo atacado por todos os lados, me prontifiquei a ajudá-lo, não tanto como filha do Olavo, mas como a advogada que sou. É da minha natureza, abomino a injustiça e, tanto mais neste caso, por envolver o nome da minha família. Me senti na obrigação de falar com Olavo de Carvalho e tentar conciliar a divergência.

Liguei para meu pai, mas fui alvejada frontalmente por ele, pedras e pedras, insultos e telefone desligado na cara. Ato contínuo, tanto ele quanto meus irmãos e minha madrasta me apagaram das redes sociais e do WhatsApp deles. Passaram a me ver como uma traidora, de aliada a um inimigo. Como o mundo imaginário e paranoico de Olavo exige obediência cega e irrestrita, eu o teria abandonado e debandado para a imensa horda de comunistas comedores de crianças, que queriam ver o fim da fama que Olavo finalmente havia angariado. Eu seria a dissidente e portanto só merecia opróbio e perseguição. Fizeram isso comigo! Eu, Heloísa de Carvalho, era a mais nova inimiga de Olavo de Carvalho.

Olavo de Carvalho
17 de setembro de 2017

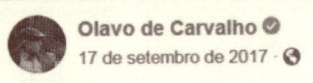

Da página da Lu Arianov:
Carta aberta à Heloisa de Carvalho Martin Arribas.

Olha só. Vem essa daí e fica falando um monte de merda a respeito do pai e da família. Já que você se coloca em busca da verdade, Heloisa, pare de contar tudo pela metade e conte exatamente como aconteceu.
Essa história sobre a sua mãe ter sido despejada é verdade, mas você não morava com ela. Morava com a sua tia e estava pouco se lixando para sua mãe e seus irmãos. Quanto ao suicídio, ela realmente tentou, mas a sua participação nessa história se resumiu a um surto e gritos histéricos, enquanto o Olavo puxou o Luiz e o Tales pela mão e disse que estava na hora de eles aprenderem a ser homens. Foi ele quem a tirou da banheira e levou para o hospital, enquanto as outras pessoas tentavam acalmar você, que gritava sem parar. Minha mãe foi uma dessas pessoas, já que era aluna da Escola Júpiter, e foi o que ela me disse.
Você diz que nunca gostou de sujeira, mas no pouco tempo em que seu filho morou com você, ligou para a sua tia pedindo para salvá-lo, e ao chegar na sua casa, estava tudo sujo e a comida na geladeira estava podre. Você não tem moral nenhuma para falar sobre abandono de filho, já que fez exatamente a mesma coisa com o seu, que foi criado pela sua tia, tendo ela, inclusive a guarda judicial dele.
Sobre a sua avó, faltou colocar nessa sua carta que imediatamente após o enterro, você correu para o apartamento dela e literalmente pilhou o que tinha lá. Objetos do seu pai e até mobília. Agora colocou tudo para vender, e eu me pergunto aqui se você realmente tem direito. Não é você que é doutora das leis, que sabe tudo sobre todos os códigos que existem? Então você deve saber que esses objetos são do seu pai até que ele morra, quando então passarão à você E AOS SEUS IRMÃOS. Na conta final de todas essas vendas, você vai dividir o dinheiro com eles, ou entregar ao seu pai? Na verdade, não sei se você sabe responder a minha pergunta. Você fez o curso de Direito numa universidadezinha qualquer, curso este que alguem pagou pra você pois nem pra isso você tinha os meios, mas até hoje não conseguiu passar no exame de ordem. E nós, que acompanhamos as suas lamúrias há algum tempo, jamais vimos qualquer agradecimento a quem quer que seja que tenha feito isso por você. Todos sabem que sem a aprovação no exame, você não passa de bacharel, mas, por favor, conte pra todo mundo aqui como você advogava na cidade onde mora, mesmo sem poder e consciente de que não podia.
Continuando... Você fala tanto sobre a sua mãe, mas você nem morava com

ela. Você escolheu morar com a sua tia, porque a sua mãe era só uma "louca, preta e desdentada", como você dizia. Agora fica posando de boa moça, que cuida da mamãe, mas também esqueceu de contar que deu queixa na polícia dessa mesma mãe, acusando-a de roubo e coisas que você sabe bem que ela nunca fez. Mesmo assim, até onde eu sei, ela te perdoou.

Quanto aos ataques histéricos do seu pai, é verdade, mas isso prova que você teve MUITO BEM a quem puxar, já que faz exatamente a mesma coisa com quem quer que te desagrade de alguma forma. Como eu sei que você vai fazer comigo, já que não vai ter coragem pra rebater o que eu estou dizendo aqui.

Quanto ao seu suposto abuso sexual aos 9 anos... Nem vou comentar. Você tem quase 50 anos na cara e fica choramingando por uma coisa que aconteceu no século passado. Em um comentário aí em cima você mesma admitiu que não houve conjunção carnal, mas que o cara passou a mão na sua bunda. E, convenhamos, pra quem deu que nem puta em beira de estrada, inclusive para vários ao mesmo tempo, uma passada de mão na bunda não é problema, né?

Sobre pegar dinheiro indevidamente, já contou pra todo mundo aqui que o papaizinho te mandou R$ 80 mil e que você torrou a maior parte em cachaça e o resto entregou na mão de um safado que te passou a perna? Aliás, sabe que você é piada na sua cidade por causa disso né?

Eu posso continuar por várias horas aqui. Posso contar pra todo mundo o quanto você adora e faz questão de cuspir da mão de quem te alimentou, de puxar o tapete de quem te ajuda. Posso contar que você bateu na sua outra avó e enfiou a cara numa cerca de arame farpado e depois foi pra delegacia dizendo que sua tia, a mesma que te criou, tinha te agredido. Não contente, ainda a processou. Quer que eu continue?

Então, olha... O seu problema é o seguinte, e nem precisa ir muito longe pra descobrir. Vai no Google e joga "sintomas de psicopatia", e você vai ver que você se encaixa perfeitamente em todos eles. Quer um exemplo: gera problemas e põe a culpa nos outros; se acha sempre com a razão e não tem um pingo de remorso pelas maldades que já fez. Você precisa de dinheiro é pra ir num bom psiquiatra, e começar a frequentar o AA, pois todo mundo sabe que você tem um sério problema com a mardita.

Toma vergonha nessa cara, menina. Vai arrumar um trabalho decente, já que você passa o dia no Facebook falando mal do seu pai, vai estudar pra passar na ordem, vai se tratar. Você não tem moral pra falar e julgar ninguém.

1,6 mil   62 comentários   116 compartilhamentos

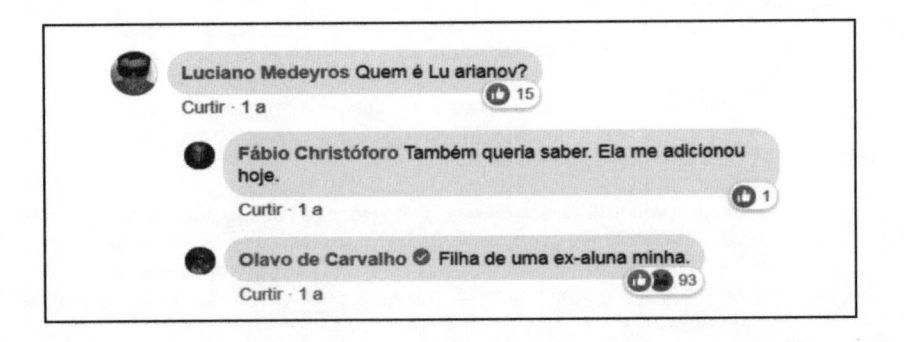

> **Luciano Medeyros** Quem é Lu arianov?
> Curtir · 1 a   👍 15
>
> **Fábio Christóforo** Também queria saber. Ela me adicionou hoje.
> Curtir · 1 a   👍 1
>
> **Olavo de Carvalho** ✅ Filha de uma ex-aluna minha.
> Curtir · 1 a   👍❤ 93

No dia 17 de setembro de 2017, Olavo de Carvalho publicou em seu Facebook uma carta de Lu Aronov. Eu nunca tinha ouvido falar deste nome e sobrenome, mas Olavo confirmou que Lu é filha de uma ex-aluna dele. Lu relata passagens da minha vida que nunca ocorreram. Como Lu sabe mais sobre a minha vida do que eu mesma, sendo que eu não a conheço e não sei quem é sua mãe, que Olavo diz ter sido sua aluna?

O perfil da Lu Aronov durou cinco dias no Facebook e, depois disto, deixou de existir.

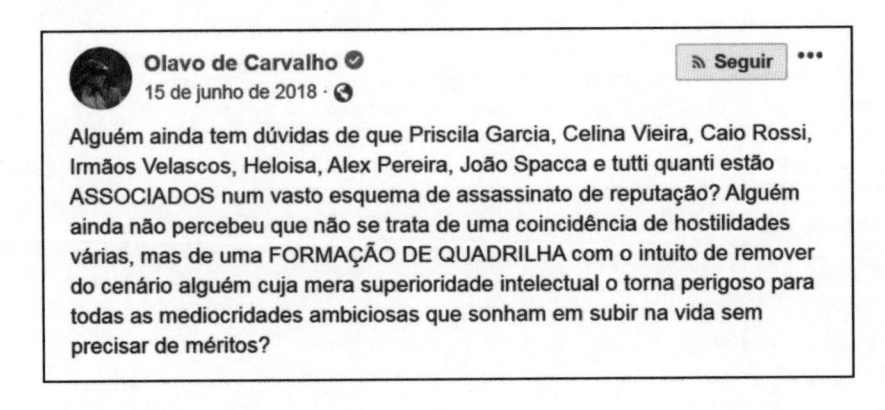

> **Olavo de Carvalho** ✅   🔗 Seguir ···
> 15 de junho de 2018 · 🌐
>
> Alguém ainda tem dúvidas de que Priscila Garcia, Celina Vieira, Caio Rossi, Irmãos Velascos, Heloisa, Alex Pereira, João Spacca e tutti quanti estão ASSOCIADOS num vasto esquema de assassinato de reputação? Alguém ainda não percebeu que não se trata de uma coincidência de hostilidades várias, mas de uma FORMAÇÃO DE QUADRILHA com o intuito de remover do cenário alguém cuja mera superioridade intelectual o torna perigoso para todas as mediocridades ambiciosas que sonham em subir na vida sem precisar de méritos?

A poderosa marca olavista

Quando rompi com o Olavo, meus irmãos ficaram do lado dele. Alguns me chamaram de louca, como se tudo que eu havia revelado fosse mentira ou sandice.

Vejo duas razões para esta posição deles. A primeira é que eles também ganham com o olavismo, por serem os filhos do Olavo, por pertencerem à seita dele. É claro que há benefícios nisto, já que Olavo de Carvalho acabou se tornando uma marca. E não duvido que estes meus irmãos não continuarão explorando esta marca mesmo após a morte de meu pai, pois ela se tornou lucrativa demais: os livros, os cursos, a aura em torno dele.

Desde há muito tempo, desde quando eu era criança, eu me recordo de meu pai e minha mãe pegando dinheiro emprestado de alunos, que não devolviam. Olavo sempre teve a capacidade de atrair pessoas com alto poder aquisitivo, indivíduos com tempo ocioso bastante para se envolver nesta ladainha de astrologia e ocultismo, diferentemente de quem rala o dia inteiro para pôr a comida na mesa.

Alguns anos atrás, Olavo solicitou uma vultuosa quantia comprometendo-se a publicar um livro por ano com a editora *É Realizações*; recentemente, descobri que ele não cumpriu com o prometido, tampouco devolveu o dinheiro para o Edson Filho, dono da editora.

Também descobri que meus irmãos emprestaram uma boa grana de um aluno deles, o Thomé, para realizarem um congresso, mas não me surpreendi quando soube que eles jamais devolveram este valor a ele.

No final dos anos 80, quando minha avó materna vendeu a sua casa, a minha mãe e meus irmãos se prontificaram a cuidar e administrar o dinheiro para a minha avó. No entanto, eles desapareceram por uns dois anos, sem nunca dar satisfação alguma de onde foi parar o suado dinheiro da casinha da minha vó, o único bem que ela teve na vida. Apesar destes golpes, eles confiam que a integridade da marca permanecerá intacta, por isto, simplesmente não se importam.

O segundo ponto tem a ver com a própria percepção da realidade. Fomos criados naquele ambiente e tudo que ele fez conosco era, dentro daquele pequeno universo nosso, o normal. Para nós, era normal viver numa comunidade com mais uma dúzia de pessoas, pertencer a uma seita esotérica, ser negligenciado por nossos pais, não frequentar a escola, ouvir ou presenciar rituais macabros, tudo isto era completamente normal.

Só quando eu abandonei a influência imediata do Olavo que comecei a me dar conta que ali, naquele meio, não havia nada de normal. Tudo era bizarro, misterioso e algo inexplicável. Amigos estranhos, gente doida, literalmente doida, como o Olavo reconhece no filme "Jardim das Aflições". Meu pai sempre foi um imã de desajustados e ele mesmo tem os seus problemas psiquiátricos, tanto que chegou a ficar internado num manicômio, de onde saiu voluntariamente sem alta médica.

Quando você é criado no anormal, o anormal é que é o normal.

E nem quero aqui entrar na questão de normalidade, se este é um bom critério para analisarmos as famílias, se sequer existe "normalidade" como tal, mas, sem dúvida alguma, a minha família estava bem longe de ser aquela típica família na qual os pais saem para trabalhar, os filhos vão à escola e, no fim do dia, todos jantam assistindo ao Jornal Nacional. Isto nunca ocorreu em minha infância e juventude, portanto, posso dizer sem medo que todos os anos que vivi na companhia do Olavo foram bastante atípicos.

E como não lucro absolutamente nada com o olavismo, com a marca criada por meu pai, também não tenho nada a perder. Ao me dar conta do risco que ele havia se tornado para um país inteiro, me senti na obrigação de falar, enquanto os meus irmãos optaram por se calar ou por me atacar, pois eu havia me tornado uma ameaça aos "negócios da família".

Todavia, diferentemente deles, eu posso provar tudo o que digo. Tenho documentos, relatos, testemunhas, processos judiciais, reportagens e, em alguns casos, depoimentos do próprio Olavo, pois ele deixou seu rastro de sujeira por onde quer que tenha passado. Ninguém poderia ter uma vida tão agitada quanto a de meu pai, pulando de seita em seita, causando confusões e criando inimigos, sem deixar uma trilha atrás de si.

Qualquer um que se dedique a investigar a vida de Olavo de Carvalho desencavará bem mais do que foi revelado até agora, e isto inclui até o modo suspeito com que ele obteve o tal "genius visa" do qual tanto se gaba, que vende como se fosse a maior credencial da grandeza dele quando, na verdade, é um visto concedido a personalidades nem tão extraordinárias assim, como a esposa do presidente dos EUA, a Melania Trump, isto quando ela ainda era uma modelo fotográfica mais ou menos desconhecida. O visto de gênio do Olavo é exatamente da mesma ordem do visto de gênio da modelo Melania Trump. E toda a história por detrás deste visto do Olavo é bastante estranha e certamente mereceria uma revisão mais cuidadosa pelo Departamento de Imigração dos EUA[36].

Mas não apenas isto. O envolvimento de Olavo com um sequestro quando ainda era integrante do Partido Comunista, a perseguição que ele alegou sofrer pela seita Tradição, o processo movido por uma discípula dele, a Liana Dines, na tariqa, o período no qual ele deu aula na PUC-PR sem nunca ter tido um diploma universitário, o vínculo dele com o Perenialismo[37] e com uma vertente radical e esotérica de um pseudocatolicismo tradicional, a relação dele com a família Bolsonaro, a dívida que ele alegou ter contraído nos EUA e que não podia pagar, solicitando doações de admiradores, tudo isto mereceria uma investigação mais cuidadosa.

---

[36] O portal Catraca Livre publicou em 25 de abril de 2019 um longo artigo sobre o assunto, intitulado "O mistério do visto americano do guru de Bolsonaro".

[37] O Perenialismo, Escola Perenialista ou Tradicionalismo defende que existem verdades religiosas e transcendentais que estão na base das principais religiões do mundo. O místico René Guénon é um de seus principais nomes, influenciando várias personalidades, como Julius Évola, ligado diretamente ao fascismo italiano, e Frithjof Schuon, do qual Olavo de Carvalho foi discípulo e representante no Brasil.

Sim, há inúmeras pontas soltas na biografia do Olavo, fatos que ele tentou ocultar no intuito de vender-se como um filósofo sério e respeitável, sendo que nunca foi nem um nem outro.

> **Olavo de Carvalho** ✓　　　　　　　　　🔊 **Seguir**　•••
> 29 de janeiro de 2014 · Richmond, Estados Unidos da América
> · 🌐
>
> No dia em que eu colocar aqui a coleção das fotos das **Musas Olavettes**, como planejo fazer, as Baguettes, Pirulettes e Coelhettes se matarão a dentadas, de tanta inveja.

O guru do Bolsonaro?

Muitas pessoas me perguntam se o Olavo de Carvalho é realmente o guru do Bolsonaro e de seu governo, mas eu teria dificuldades para avaliar qual é a real influência de meu pai sobre as decisões governamentais.

Sem dúvida alguma, ele forneceu a ideologia para isto através de suas aulas e livros, bem como também formando uma porção de alunos que posteriormente integraria diferentes escalões do governo Bolsonaro.

Após a vitória nas eleições, Olavo publicou no Facebook uma lista com vários "olavetes", como ele mesmo diz, e ali você pode ver as mais distintas figuras que comporiam um parlamento abarrotado de conservadores teóricos da conspiração, assim como quando Bolsonaro anunciou a composição de seu governo infestado por mais uma cambada de olavetes em diferentes cargos.

POSSO SER O SEU
COACH?
SPACCA.
HUMORPHOBIA
www.humorphobia.org

Olavo de Carvalho
7 de outubro de 2018

Seguir

Bancada olavética do Congresso, segundo o Paulo Briguet:

Paulo Martins
Filipe Barros
Caroline De Toni
Marcel Van Hatten
Marcio Labre
Joice Hasselmann
Eduardo Bolsonaro
Nelson Barbudo
Bia Kicis
Kim Kataguiri
Alexandre Frota
Luís Philippe Orleans e Bragança
Flavio Bolsonaro
Major Olimpio
Ana Caroline Campagnolo

Acrescentem os faltantes, por favor.

Dois deles se tornaram, logo assunção do governo, ministros de Estado. Um deles é o ministro de Relações Exteriores, Ernesto Araújo, um diplomata com carreira inexpressiva alçado agora ao status de Chanceler e que chegou a visitar Olavo em sua casa na Virgínia. O outro foi o colombiano Ricardo Vélez, nomeado ministro da Educação. Até onde eu saiba, Vélez não havia sido aluno de Olavo nem pertencia ao seu círculo de influência, mas, segundo o próprio Olavo, foi uma indicação dele para o Bolsonaro. Aliás, o Ministério da Educação acabou se tornando a linha de frente de uma verdadeira guerra cultural para mudar os rumos das práticas pedagógicas no Brasil e "despetizar" a educação. Segundo Olavo de Carvalho e seus seguidores, a esquerda dominava o MEC e as salas de aula, criando uma legião de alunos doutrinados por seus professores. Portanto, tornou-se uma prioridade recuperar este espaço, através de um embate frontal, com práticas educacionais e certos expoentes, como a influência do patrono da educação Paulo Freire. Vélez não durou no cargo, então foi substituído, aí sim, por um olavete de carteirinha, Abraham Weintraub, que, partindo da ótica conspiratória de Olavo, deu a largada para um desmonte na Educação, atacando indistintamente as universidades, os professores e os alunos[38].

Olavo afirma que chegou a ser cogitado para ser ministro da Cultura ou da Educação, mas se recusou, pois não pensava poder contribuir em algo nestes postos, porém, num vídeo publicado em seu canal do Youtube, revelou seu desejo de se tornar embaixador

---

[38] "Universidades, no Brasil, são, em primeiro lugar, pontos de distribuição de drogas. Em segundo, locais de suruba. A propaganda comunopetista fica só em terceiro lugar." Publicado por Olavo de Carvalho em 11 de março de 2019 no Facebook.

do Brasil nos EUA. Segundo ele, neste cargo poderia ser mais útil para o país, pois, se havia uma coisa que ele entendia bem, era fazer dinheiro[39]. Curiosamente, pouco tempo depois, Olavo de Carvalho estava pedindo dinheiro na internet para pagar dívidas monstruosas cuja natureza nem o montante ele jamais revelou[40]. O homem que queria ser embaixador porque sabia fazer dinheiro, mal tinha grana para pagar suas próprias contas e dependeu da caridade de seus alunos e admiradores.

Sendo assim, para responder à pergunta se o Olavo é o guru do Bolsonaro, precisamos observar a influência objetiva das recomendações dele no governo. Temos pelo menos três ministros que foram recomendações diretas dele e/ou seguem os preceitos olavistas. O MEC está abarrotado de olavetes. Dois dos filhos do Bolsonaro, Flávio e Eduardo, são olavetes, sendo que Eduardo declarou: "Olavo é o pai de todos nós". Carlos Bolsonaro, em entrevista, disse não conhecer a obra do Olavo, mas que conver-

---

[39] "O que o Brasil precisa mais urgentemente é dinheiro, e como embaixador nos EUA eu saberia fazer dinheiro. Eu peguei alguma prática deste negócio de comércio exterior no tempo em que eu morei na Romênia (...). E, ademais, o embaixador em outro país tem a autoridade total sobre os seus conterrâneos ali. Ele pode mandar embora qualquer um, pode mandar prender qualquer um. Ele é um reizinho. (...) Eu pra mim não preciso de mais dinheiro, estou satisfeito, não preciso ganhar um tostão a mais, mas fazer dinheiro para o Brasil é uma coisa que eu adoraria fazer, e pior, eu sei como fazer." Publicado por Olavo de Carvalho em 5 de novembro de 2018, no vídeo intitulado "Eu no governo?" no Youtube.

[40] "Acossados por uma rede internacional de caluniadores e difamadores, recebemos ainda uma cobrança monstruosa de despesas médicas e impostos, e vamos precisar DESESPERADAMENTE da ajuda dos nossos amigos. Aqui estão os canais bancários pelos quais vocês podem contribuir. Nada poderemos oferecer em retribuição exceto exemplares autografados dos meus livros e a nossa profunda gratidão. Deus abençoe a todos". Publicado por Olavo de Carvalho em 3 de março de 2019 no Facebook, posteriormente a postagem foi apagada.

sava com pessoas que eram próximas do Olavo e que aprendia a doutrina do guru deste modo. Na live de posse no Facebook, Bolsonaro apareceu exibindo três livros sobre a mesa: a Bíblia, a biografia de Winston Churchill e um livro do Olavo. Deste modo, não estaríamos errados em acreditar que Olavo tem sim uma considerável influência sobre o presidente, seus filhos e sobre diferentes escalões do governo.

Por outro lado, se há uma ala com a qual Olavo não se bica é com a dos militares, um grupo que ele já criticava há muitos anos e com a qual teve constantes arranca-rabos ao longo dos meses iniciais do governo Bolsonaro. Inclusive, Olavo se viu obrigado a se recolher ao silêncio, pelo menos durante alguns dias, quando Olavo ridicularizou a condição do general Eduardo Villas-Boas, portador de uma doença degenerativa e que tinha vindo em defesa do general Carlos Alberto dos Santos Cruz, a quem Olavo atacou virulentamente nas redes sociais, insuflando seus seguidores a fazerem o mesmo[41].

Entretanto, após as ofensas contra Villas-Boas, Olavo conseguiu horrorizar até olavetes ferrenhos, alguns dos quais acabaram até se afastando ou tornando-se críticos das posturas cada vez mais descontroladas de Olavo na internet. Um deles foi o cantor Lobão, que, segundo ele, havia se tornado um amigo próximo de Olavo, mas que, por causa do comportamento do guru,

---

[41] "Há coisas que nunca esperei ver, mas estou vendo. A pior delas foi altos oficiais militares, acossados por afirmações minhas que não conseguem contestar, irem buscar proteção escondendo-se por trás de um doente preso a uma cadeira de rodas. Nem o Lula seria capaz de tamanha baixeza." Publicado por Olavo de Carvalho em 7 de maio de 2019 no Facebook.

passou a criticá-lo e, até mais do que isto, também se converteu num crítico ferrenho do governo Bolsonaro e do Olavo[42].

Aos poucos, começamos a observar, na medida em que o governo gradualmente se desgastava logo no início do mandato, uma crescente rejeição aos arroubos cada vez mais constantes e ofensivos de Olavo, que terminou por se escudar em seus mais fiéis alunos, que não viam nenhuma anormalidade nisto.

Não posso afirmar que Olavo seja o guru do Bolsonaro, mas a influência dele é perceptível não apenas no Executivo, mas no Legislativo. Contudo, num de seus momentos de lucidez intelectual, Olavo também criticou estes olavetes que se embrenharam na política, pois, segundo ele, eles tinham se precipitado[43].

Nesta guerra cultural proposta por Olavo, ainda seriam necessários muitos anos combatendo o comunismo para que o Brasil estivesse completamente pronto, de modo que as ideias olavistas se enraizassem e realmente tivessem um impacto duradouro. Para Olavo, o olavismo ainda não estava maduro para virar política de Estado.

---

[42] "É óbvio que o Olavo vai acabar com esse governo, porque ele é uma pessoa muito autodestrutiva. Olavo é um sociopata. Não tem empatia por ninguém. É umególatra." Lobão em entrevista publicada em 17 de maio de 2019 no Valor Econômico.

[43] "Jamais gostei da ideia de meus alunos ocuparem cargos no governo, mas, como eles se entusiasmaram com a ascensão do Bolsonaro e imaginaram que em determinados postos poderiam fazer algo de bom pelo país, achei cruel destruir essa ilusão num primeiro momento. "Mas agora já não posso me calar mais. Todos os meus alunos que ocupam cargos no governo -- umas poucas dezenas, creio eu -- deveriam, no meu entender, abandoná-los o mais cedo possível e voltar à sua vida de estudos. O presente governo está repleto de inimigos do presidente e inimigos do povo, e andar em companhia desses pústulas só é bom para quem seja como eles", publicado por Olavo de Carvalho em 8 de março de 2019 no Facebook, e reproduzido na reportagem "Olavo ataca generais e pede saída de ex-alunos do governo Bolsonaro" do Valor Econômico.

Talvez Olavo nem seja exatamente o guru do Bolsonaro, mas é certamente o guru do bolsonarismo, deste conservadorismo torpe e destrutivo que se consolidou no Brasil.

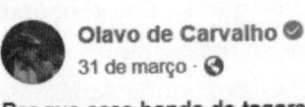

> **Olavo de Carvalho** ✓
> 31 de março
>
> Por que esse bando de tagarelas de mentalidade criminosa tenta me pintar como chefe de um grupo ávido de poder político se a ÚNICA instrução que dei a meus alunos ocupantes de cargos públicos foi que abandonassem toda atividade político-burocrática e voltassem para suas casas?
> Por que dizem que meus cursos são de treinamento político-ideológico se, de VINTE MIL alunos que acompanharam minhas aulas menos de duas dúzias buscaram lugares no governo? Até quando as realidades mais óbvias e patentes serão substituídas por fantasias psicóticas inventadas por políticos, jornalistas e militares medíocres, invejosos, cheios de ódio à inteligência e à cultura superior?

Quais são os valores do guru?

Meu pai se apresenta como um defensor de valores conservadores, e eu sempre me indago quais são estes valores que ele e seus discípulos querem conservar.

Eles se dizem cristãos, mas a mensagem que pregam é o extremo oposto da mensagem do Cristianismo. Onde você vê Jesus pregando o amor ao próximo, Olavo prega a destruição dos opositores. Onde você vê Jesus pregando a mansidão, Olavo insulta as pessoas. Onde você vê Jesus pregando a caridade com os pobres, vemos o desprezo completo que Olavo tem pelos necessitados. Onde você vê Jesus pregando tolerância, temos Olavo incitando o ódio contra minorias.

Se Olavo e sua turma defendem algum tipo de Cristianismo, então é certamente o tipo de Cristianismo dos inquisidores, daqueles que queimavam bruxas e torturavam hereges, jamais aquele Cristianismo puro de amor e respeito.

Na questão política, é ainda mais difícil saber o que eles querem conservar. Olavo não é um militarista, inclusive é um severo crítico do Positivismo[44] que ele alega ser constitutivo das Forças

---

[44] O Positivismo é uma corrente filosófica inspirada no ideal de progresso contínuo da humanidade. Uma das principais características do Positivismo é a devoção à ciência, tida como a única religião possível, deste modo rejeitando a metafísica ou o conhecimento transcendental do mundo. Isto permitiria assim, a partir do conhecimento racional, a criação de uma sociedade fundamentada numa noção de ordem e progresso.

Armadas brasileiras. Portanto, não dá para dizer que ele queira preservar a hierarquia e a disciplina militares, já que isto não condiz com a mensagem antiestablishment dele. Até onde eu saiba, mais do que um conservador, Olavo é um reacionário, que visa preservar um modo de vida e de pensamento da pré-Modernidade, do pré-Iluminismo, com relações sociais que nos remeteriam à Idade Média. Este é o mundo no qual habita Olavo de Carvalho, pelo menos intelectualmente: Olavo vive na Idade Média. Um mundo de magia, e em que é admissível contestar que a Terra seja esférica.

Outra dificuldade que tenho é de saber quais são os valores morais que eles querem conservar. Justamente meu pai, que já fez parte de seitas que realizavam surubas rituais, trocas de casais, aborto ritualístico e que viveu em poligamia. "Talvez ele tenha mudado", você pode dizer, e isto até pode ser verdade, mas me parece contraditório elogiar a cordialidade e a gentileza dos americanos, como diz Olavo no filme "Jardim das Aflições" e, ao mesmo tempo, agir de maneira grosseira e desrespeitosa com os semelhantes. Ou você vive pelos preceitos que prega, ou você é apenas um hipócrita.

Num hangout, Olavo diz: "Não puxem discussão de ideias. Investigue alguma sacanagem do sujeito e destrua-o. Essa é a norma de Lênin: nós não discutimos para provar que o adversário está errado. Discutimos para destruí-lo socialmente, psicologicamente, economicamente."

Essas afirmações resumem bem a verdadeira moralidade olavista, sob a qual é preciso destruir seus inimigos de qualquer modo possível, e isto faz parte de um processo de desumanização com longínquas raízes históricas e que permitiram algumas das maiores barbáries da Humanidade. É justamente porque os outros eram vistos como subumanos que foi possível a escravidão, o Holocausto, o genocídio em Ruanda, entre tantas outras atrocidades praticadas ao longo da História em todos os cantos do planeta. No cerne daquilo que meu pai propaga está a defesa de uma rígida e talvez imutável estrutura hierárquica, com líderes, seguidores e, na sua base, subumanos que merecem desprezo e destruição. A filosofia de meu pai, se é que podemos chamar assim suas verdadeiras ruminações pseudointelecutais sobre filosofia, é uma variação da filosofia do extermínio. Sabemos onde isto pode nos levar.

O ódio e a demonização da esquerda fazem parte deste processo de consolidação e manutenção do poder que está na base do pensamento de Olavo. Não basta vencer, é preciso extirpar a oposição da política e da sociedade[45].

Toda a missão que Olavo atribui a si próprio e a seus discípulos parece partir do ressentimento e da vingança: fomos ignorados, desprezados, subestimados, ridicularizados, mas, agora no poder, temos todas as condições para que vocês nunca mais se reergam, e faremos literalmente qualquer coisa para que isso aconteça.

Mas aqui podemos perceber a limitação de Olavo, pois nada é eterno. Num dia mártires, noutro, inquisidores, e vice-versa.

---

[45] "O comunismo não tem de ser 'vencido'. Tem de ser EXTINTO." Publicado por Olavo de Carvalho em 30 de agosto de 2019 no Facebook.

Nada dura para sempre, nem mesmo esta frágil vitória de Olavo. Aliás, uma vitória tão frágil que, em tão poucos meses, já começa demonstrar fissuras comprometedoras.

Olavo, "o maior pensador brasileiro vivo", é um típico ídolo com pés de barro, daqueles que desaparecem tão rapidamente quanto surgiram e que depois mal deixam sinais de sua passagem por este mundo.

O legado de Olavo de Carvalho

Às vezes, paro e imagino qual será o fim do meu pai. Ele acredita que será lembrado daqui a cem anos e que suas ideias mudarão o rumo do Brasil. Não posso acreditar mesmo lhe sendo tão típicos esses devaneios e mania de grandeza, mesmo sabendo que sempre acompanharam meu pai desde que eu possa me recordar.

Sim, ele reuniu uma legião de alunos fanatizados que dizem *amém* para qualquer coisa que Olavo afirme, escreva ou pense.

Sim, é verdade que alguns de seus livros venderam muito no Brasil, na casa de centenas de milhares de exemplares, um fenômeno editorial que supriu uma carência brasileira de pensadores conservadores.

Sim, ele tem um curso online sem fim que, segundo o próprio guru, conta atualmente com uns cinco mil alunos, ou seja, pelo menos cinco mil pessoas que, no futuro, continuarão reproduzindo suas ideias.

Sim, há olavetes na política, na imprensa, nas universidades, nas redes sociais, nas ruas, tanto que o slogan "Olavo tem razão" ainda persiste.

Sim, Olavo teve impacto pernicioso na política e na cultura brasileira, mas, mesmo assim, não deixa de ser um impacto, tanto que uma comparação que tem sido traçada é com o místico russo Rasputin, mentor do último czar – e veja-se o que sucedeu a esse czar e sua família: execução sumária. Há semelhanças entre

Rasputin e Olavo de Carvalho, apelidado por alguns de "Rasputin da Virgínia"[46]? Não saberia dizer, mas desconfio que a influência política do Olavo seja muito menor do que ele realmente alardeia. Ainda assim a considero um perigo grande e é esse perigo que me move a escrever sobre o que sei, para que essas informações, que são verdadeiríssimas e posso provar uma a uma, possam balizar o juízo dos brasileiros de boa vontade. Se, de posse dessas informações, o cidadão prefere continuar apoiando Olavo, posso me sentir de alma leve, tendo cumprido o que considero o meu dever.

Sim, é verdade que Olavo ajudou a lubrificar o ideário direitista brasileiro, mas às custas do empobrecimento do diálogo e da racionalidade.

Então, se formos considerar o legado de Olavo e que o futuro reserva a ele, não imagino que serão boas memórias.

Pois a imagem de Olavo já começou a ser desconstruída ainda em vida, com professores e mesmo a imprensa atuando neste sentido, ridicularizando-o e revelando ao mundo a fragilidade desta personalidade complexa e contraditória.

Olavo, como pensador (ou "filósofo"), é frágil, inconsistente e nada original. Tem uma leitura imprecisa ou até desonesta dos demais pensadores, mesmo daqueles que diz admirar. Olavo não tem critérios, o que pode ser decorrente da ausência de rigor acadêmico em suas leituras. Ele demonstra severas dificuldades para compreender o pensamento de muitos filósofos e, quando se ar-

---

[46] "Especialista em história russa diz que Olavo não é 'Trótski de direita': 'É o Rasputin'", publicado em 8 de maio de 2019 na coluna do Ancelmo Gois n'O Globo.

vora a falar de ciência, isto se torna inquestionável nas mais das vezes. Olavo tem pouquíssima compreensão daquilo que ensina a seus alunos que, durante anos, pagam uma mensalidade para ouvir o guru insultar seus inimigos.

A única contribuição de Olavo para a história do pensamento brasileiro será negativa, daquilo que não deve ser feito, de como não se deve comportar, de como não estruturar um argumento ou um pensamento.

Se porventura os livros de História mencionarem o meu pai, será como uma vaga lembrança de tempos confusos e inflamados, de polarização política e debates intoxicados, de eleitores desorientados e de um mergulho nas profundezas da intolerância. Se Olavo for lembrado daqui a cem anos, como almeja, possivelmente não será do modo lisonjeiro que ele gostaria de ser lembrado.

Talvez venham a se recordar dele como uma piada sem graça, como um homem que não tinha pudores em ofender os demais, de iniciar perseguições contra seus desafetos e difamá-los inconsequentemente. E mais do que isto, como alguém que ensinou uma horda de discípulos a agirem do mesmo modo. A contribuição do meu pai foi a desintegração do diálogo amistoso, pois, como ele mesmo disse em diferentes circunstâncias, a intenção não é confrontar as ideias dos opositores, é destruí-los.

Nietzsche afirmou que "alguns nascem póstumos", porém, agora vejo, "alguns nascem prepósteros" também. A vida de meu pai é repleta de absurdos, de altos e baixos, de muitos erros e delírios. Trata-se de um pensador às avessas. Ele me arrastou para isto sem que eu pudesse escolher. Olavo nunca parou e perguntou a nós, seus filhos, se era no mundo dele que queríamos viver. Fomos tragados pelas ideias excêntricas de Olavo e integrados às suas seitas.

Não tive escolha.

E este foi o preço que tive de pagar por ter nascido filha do guru. Um preço que ainda hoje, tantos anos depois, sou obrigada suportar. Sou filha do guru, e sempre serei, mas não tenho medo, pois sei que do meu lado está a verdade; e não a verdade dos hipócritas afeitos a distorcer os fatos, reescrever o passado, negar a ciência e destruir reputações, mas a verdade dos fatos, do que pode ser provado e comprovado, aquela verdade que qualquer um, se resolver empreender uma investigação, também poderá encontrar.

E qual é esta verdade?

Que o guru, Olavo de Carvalho, o Sid Mohammad Ibrahim, é um charlatão. Enganou a mim e enganou e engana a muitos, mas, se houver algum tipo de justiça no curso dos eventos, ele será soterrado e esquecido sob os escombros mais putrefatos da História.

Cada Messias tem o profeta que merece!

Spacca

HUMORPHOBIA
www.humorphobia.org

Posfácio

Carlos Velasco

O Brasil vive um momento crucial da sua história. Passamos por quase uma década de euforia, e diria mesmo triunfalismo prematuro, marcada pela descoberta de imensas reservas petrolíferas, por uma balança comercial favorável e pela conquista do suposto privilégio de sediar os Jogos Olímpicos e a Copa do Mundo – eventos com um simbolismo forte que transmitem uma imagem de autoconfiança que costuma marcar a passagem das nações que os recebem a um novo patamar de organização, de afluência material e de poder, como atesta a história. Mas o que aparentava ser uma democracia consolidada nas suas instituições, lastreada por uma economia que parecia destinada em breve tempo a figurar entre as cinco maiores do planeta, e um *soft power* que o elevou a uma posição de relevo na comunidade internacional, elogiada pela imprensa local e estrangeira, desabou como um castelo de cartas.

Bastou que o rastilho da insatisfação popular crescente fosse acendido, a princípio pela própria extrema-esquerda, que mobilizou gente em várias capitais para protestar contra um aumento das tarifas de ônibus, para que uma série de eventos desencadeasse uma "primavera" que em poucos anos destruiria muito do resultado do esforço das últimas décadas e conduziria o país a uma polarização radical que continua se intensificando e pode ter consequências terríveis, ainda mais no quadro de decadência, desesperança e desânimo atual.

O temor da classe média em relação aos manifestantes dessa primeira fase – em que os atos de vandalismo de alguns grupelhos foram destacados pela mídia e a narrativa de um golpe comunista em curso começou a ganhar um enorme peso nas redes sociais, ao mesmo tempo em que os escândalos de corrupção ligados aos eventos desportivos que o Brasil sediava ganhavam importância na pauta da imprensa e o marasmo econômico contribuía para a revolta – foi instrumentalizado a partir de então por uma "nova velha direita" que voltava a ganhar confiança e a tomar a iniciativa. Direita essa que pouco tinha a ver com a velha direita representada pelos partidos tradicionais fossilizados, e ia se juntando em torno de grupos que apareceram nas redes sociais, como os intervencionistas e o MBL, foi surfando na suposta luta contra a corrupção da qual, até então, a velha direita também se alimentou.

A Copa do Mundo se realizou com um sabor amargo, a Lava Jato começou a sua ação destrutiva sobre o relativamente fraco tecido industrial brasileiro, com ênfase para o setor petrolífero, naval e de engenharia, e os Jogos Olímpicos se realizaram ao som de vaias e insultos à presidente. Na imprensa internacional a revista *The Economist*, a princípio entusiasta das gestões do PT, simbolizava bem essa mudança de tom em relação ao Brasil nas suas capas. Em mais ou menos uma década, a famosa capa do Cristo Redentor em ignição, representando o Brasil, passou de um foguete subindo vigorosamente em direção aos céus para um foguete desgovernado que parecia destinado a se espatifar na magnífica Baía da Guanabara.

Caminhou-se assim em direção ao impeachment, que paradoxalmente levou à ascensão de um presidente ligado aos grupos que desde sempre viveram descaradamente às custas do erário e submeteu o país a uma receita econômica que contribuiu para afundar ainda mais a nação num impasse cuja manifestação material era a estagnação, e à invulgar eleição de 2018. Infelizmente, ao invés de sairmos da crise política e do ciclo vicioso que ameaça fraturar o Brasil, chegamos ao segundo turno divididos entre um candidato que representava o pior do PT, de um lado, ou seja, o PT que abandonou de vez um projeto nacional de desenvolvimento e o incentivo à produção de itens cada vez mais sofisticados em prol de uma agenda submissa aos interesses rentistas, e um candidato que representava os piores vícios de uma direita igualmente conformada com a economia do atraso, entreguista e, pior ainda, apologista da ignorância e da violência.

Agora o Brasil, talvez pela primeira vez na sua história desde meados do século XIX, nessa altura por culpa do tráfico transatlântico de escravos à revelia dos acordos internacionais, ocupa o lugar de pária na comunidade internacional ao mesmo tempo em que desistiu, por mais paradoxal que seja, de toda a sua soberania. Na verdade, quanto mais o Brasil se coloca na posição de pária e se isola, maior a pressão internacional e a sua submissão a interesses externos diametralmente opostos ao seu interesse nacional. A indústria agoniza, talvez de forma irreversível, representando no PIB um percentual à volta de 10% e podendo em breve ficar abaixo dos níveis do princípio da década de 30, e o próprio agronegócio vê diante de si, graças à subserviência do novo governo ao interesse de outras nações, a possibilidade de perder os seus maiores e mais promissores mercados para outros países. A China, maior mercado brasileiro, está ciente de que o seu interesse depende da promoção da produção agrícola de outras nações menos sujeitas à política de contenção dos EUA, com destaque para a Rússia, e a agricultura russa está pronta para fazer em relação aos itens agrícolas fortes na pauta de exportações do Brasil, como a soja, o mesmo que fez no mercado do trigo em tempo recorde, afinal, já possui massa crítica para tal salto.

Resta assim ao Brasil, uma nação com 210 milhões de habitantes, a mineração, ou seja, um caminho que o levará a se transformar num gigantesco Congo, e foi isso o que o próprio presidente afirmou como sendo o caminho a ser seguido no discurso de posse. Resta saber como uma nação crescentemente polarizada, sem perspectiva de crescimento e, por isso, condenada a uma cada vez maior tensão social, pode nesse quadro complexo fazer algo para além de esperar o pior. É caso para se perguntar como chegamos aqui. Para responder essa pergunta, temos de olhar para o guru da nova direita e, ainda mais importante, guru do próprio presidente Bolsonaro, Olavo de Carvalho, o sujeito principal deste documento.

Conheci Olavo de Carvalho por volta de 2004/2005, na ressaca do 11 de setembro, durante as campanhas do Iraque e do Afeganistão. Parecia-me, naquela altura, desiludido das ideologias vigentes, que as previsões de Francis Fukuyama tinham sido deitadas por terra abaixo e que o jogo político mundial era bem mais complexo do que o establishment e a imprensa nos faziam parecer. Me interessei pelo tema do "globalismo" pouco antes dessa época, depois de ter feito um *master in european studies* e escrito uma tese sobre a organização comum do açúcar na União Europeia, em que as minhas investigações me levaram a concluir que o liberalismo e o socialismo existiam, na prática, apenas como instrumentos ideológicos cuja aplicação, sempre seletiva, favorecia interesses monopolistas com capacidade de lobby a nível internacional.

As contradições existentes, surgidas da tensão entre os estados nacionais em gradual desaparecimento, entidades onde os povos ainda tinham algum controle, ainda que precário, sobre as próprias políticas que os afetavam, e as emergentes entidades multinacionais onde apenas os interesses com alcance global tinham capacidade de atuar, como a já citada União Europeia e a OMC, foram a faísca inicial que me levou a estudar o assunto, tema que a grande imprensa não hesita em discutir de uma perspectiva estritamente econômica, mas ignora na esfera política e geopolítica.

Graças à revolução no mundo das informações surgida da expansão da web, comecei a esbarrar em muita literatura que jamais vi abordada em livros consagrados nos cursos universitários, para não falar nos jornais ou nos grandes debates públicos, mas quase todo o material era em inglês. Aos poucos comecei a encontrar alguns jornalistas independentes, maioritariamente no mundo anglo-saxão, que abordavam o tema na atualidade, mas foi Olavo de Carvalho o primeiro nome que vi abordar o tema em português. Foi através do Mídia sem Máscara que o conheci e soube que tinha sido jornalista no jornal *O Globo*, e desde então fui acompanhando os artigos de Olavo de Carvalho. Na minha ingenuidade de recém-formado, o fato de ter trabalhado num grande jornal me parecia uma garantia mínima de que não se tratava de um mero farsante. Foi por ele que tomei conhecimento do Foro de São Paulo e cruzei com a sua teoria dos três globalismos. Iniciei uma correspondência com o mesmo, especialmente para mostrar minha discordância em vários pontos, com destaque para a natureza da administração de George Bush, e compartilhar bibliografia. Ainda lembro da minha surpresa ao ver Olavo de Carvalho citar um dos autores que lhe indiquei, Anthony Cyril Sutton, relevando o fato de não ter citado a fonte. Eu, de boa fé, achei isso irrelevante e me convenci de que o guru já conhecia o material. Estava convencido da honestidade intelectual de Olavo e de que todas as discordâncias, mesmo em coisas que me pareciam óbvias para quem afirmava conhecer os assuntos que ele abordava, resultavam apenas de uma diferença de perspectiva ou percepção, afinal a área dele, supostamente, era a Filosofia e não a História, e muito menos a Economia.

Desiludido com uma mestrado que havia começado na área de História Contemporânea, onde tinha por objetivo escrever uma tese sobre as Cortes de Lisboa de 1821 e o que chamava de Secessão do Reino Unido de Portugal, Brasil e Algarves, decidi me dedicar inteiramente à vida econômica e deixar a tese para ser completada quando tivesse disponibilidade material – e tempo – para fazer um trabalho independente, sem nenhum limite imposto por um orientador.

Para não ficar completamente ocioso, decidi mais tarde me inscrever no Curso On-line de Olavo de Carvalho, o COF, pouco tempo depois do mesmo ter começado, por volta de 2010, pois, para além de me ter interessado pelo estudo da Filosofia, área que não domino, o preço era acessível e ali poderia me corresponder com pessoas que, pensei eu, buscavam o mesmo, ou seja, conhecimento por amor à verdade e uma forma de o aplicar na prática. Meu interesse não se limitava ao estudo pelo estudo, mas se estendia à política. Acreditava que poderia contribuir para o enriquecimento dos debates e para o surgimento de opções às ideologias vigentes e às opções a que o *mainstream* nos limitava, tanto à esquerda como à direita. É nesse ponto que agora desejo focar a minha atenção.

Apesar de todo o triunfalismo em torno da Presidência Lula, a critiquei desde o princípio. A priori por uma questão meramente de escolhas econômicas, afinal, Lula basicamente fez um pacto com os bancos para manter o sistema de déficit perene – e altos juros – que drenava o Brasil desde a era Fernando Henrique Cardoso. Para além disso, Lula me parecia despreparado para uma nação tão complexa e via nos seus programas sociais, como o Fome Zero, sem ir ao ponto de negar a necessidade de programas de assistência e elevação do nível de vida da população carente, uma espécie de *aggiornamento* do velho coronelismo à era da democracia de massas e uma forma de transferência de renda para os grupos especializados em extrair recursos dos pobres através da armadilha dos juros usurários embutida nos financiamentos ao consumo. O aparelhamento do Estado, o descaso para com alguns programas militares e a cedência ao internacionalismo na economia e ao imperialismo em vastas zonas da Amazônia, sem com isso me colocar a favor de uma exploração baseada na devastação, também me alarmavam.

Mais do que isso, a forma como se tentou promover as classes populares através de uma política baseada num critério racialista também me preocupou em relação ao futuro do Brasil, afinal, uma política de cotas deveria, ao meu ver, promover todos os membros das classes baixas, quem sabe reservando a maior parte das vagas nas universidades estatais a quem tivesse estudado em escolas públicas, ao invés de importar concepções identitárias americanas que por lá não apenas não resolveram os problemas raciais e sociais, mas até contribuíram para dividir ainda mais aquela nação desde sempre tão dividida. *Last, but not least*, as tentativas de revisão da Lei da Anistia e o posterior estabelecimento de uma comissão da verdade confirmavam as minhas piores previsões. Para que queriam mexer numa lei que, por mais defeituosa e falha que fosse, pacificou a sociedade brasileira e permitiu que a normalidade democrática voltasse? A história bem ensina que por vezes, por mais que nos custe, devemos dar as mãos ao pior dos inimigos em nome da paz, sobrepondo a felicidade das gerações futuras à sede de justiça das gerações passadas.

A teoria olaviana de conspiração comunista internacional, levada a cabo no continente sul americano pelo Foro de São Paulo, me parecia uma hipótese a ser considerada digna de estudo, tanto a nível sul-americano, onde governos de esquerda assumiam o poder em quase todos os países, como a nível mundial, onde observava o gradual crescimento econômico e militar russo e chinês com preocupação, ainda que ao mesmo tempo visse o imperialismo americano e europeu como fatores desestabilizadores que muitas vezes, ao contrário do que afirmava Olavo, instrumentalizavam causas contrárias ao seu "ethos" apenas para desestabilizarem a "periferia" em prol de interesses estratégicos e, também, das grandes corporações globais. A tese de que a Rússia ainda era comunista, ou melhor, que a sua classe dirigente era comunista, ou criptocomunista, me parecia digna de atenção e estudo, especialmente ao levar em conta o passado de Putin como agente da inteligência soviética.

Enfim, apesar da convergência em alguns pontos, e de dar o benefício da dúvida a Olavo em vários assuntos, e lembrem que muitos na grande imprensa deram crédito a Olavo, especialmente quando entramos na era Dilma, incluindo Reinaldo Azevedo, que citou várias vezes o Foro de São Paulo e elogiou Olavo de Carvalho, a divergência foi aumentando em vários pontos, especialmente a partir do debate com Alexander Dugin. Após o tal debate, resolvi estudar com atenção quem era Dugin e descobri que tudo o que Olavo afirmava dele de forma tão categórica, como a respeito do seu papel na Rússia, era falso. Segundo Olavo, Dugin era o cérebro por detrás de Putin, ou seja, era a eminência parda da Rússia. Logo ele que pouco depois perderia a sua cátedra na Universidade de Moscou!

Enquanto isso, quase todos os governos de esquerda do continente foram sendo substituídos pacificamente por governos de direita, sem nenhum tipo de reação do "todo" poderoso Foro de São Paulo, provando assim que este não passava de um foro de debates entre partidos de esquerda muito distintos e sem articulação, e outro ponto das teorias olavianas caía por terra com as primaveras árabes. De repente víamos os EUA promovendo a desordem por todo o Médio Oriente, apoiado pelos seus aliados ocidentais, pela Arábia Saudita e por Israel, usando o extremismo islâmico para este fim, tal e qual já tinha feito no Afeganistão durante a invasão soviética, e era a Rússia que assumia a defesa do status quo e da luta contra essa vaga de revoluções e terrorismo em grande escala que, entre outros grupos, tinha os cristãos orientais por alvo, os mesmos cristãos orientais que quase desapareceram no Iraque após a invasão americana e foram tão importantes durante a era Saddam Hussein. Até o "famigerado" Hezbollah, para desespero dos olavistas, assumia a luta contra o Estado Islâmico e defendia os cristãos sírios contra as suas investidas. De repente, o centro motor do comunismo, a Rússia, e parte do mundo islâmico, como o Hezbollah e o Irã, e um estado socialista não alinhado, a Síria, assumiam a cabeça na luta contra um fundamentalismo promovido pelo que Olavo afirmava ser o estado mais cristão do mundo, os EUA, e o hipotético grande aliado dessa "cristandade" identificada como o Ocidente, Israel!

Olavo, à medida que as contradições das suas teorias eram demostradas por fatos inquestionáveis, dissertava a respeito da política americana com teorias cada vez mais disparatadas de forma a salvar a sua face, como o fez respeito de quem era Barack Obama. A princípio, seria um agente globalista não nascido nos EUA que tinha por missão destruir a soberania americana. Depois passou a agente islâmico infiltrado nos EUA. No fim, se transformou num agente comunista a serviço de Moscou implantado nos EUA há muitas décadas, uma espécie de "Candidato da Manchúria". E isso enquanto a tensão entre EUA e Rússia chegava ao rubro e ameaçava a paz mundial, de uma maneira mais extrema do que na crise dos mísseis de Cuba, e era público e notório que os mais próximos e influentes conselheiros de Obama faziam parte da esfera do banco Goldman Sachs!

No Brasil, entretanto, as manifestações começadas em 2013 ganhavam força e as teorias olavianas se espalhavam de forma quase viral nas redes sociais. Vi como tudo isso aconteceu, e como Bolsonaro, entre outras figuras nocivas da política e da sociedade brasileira, como o deputado Marco Feliciano, que tanto contribuiu para a polarização com a promoção do debate em torno da tal "cura gay", se aproximaram de Olavo. Mais tarde o mesmo Feliciano, quando eu e alguns bloggers famosos revelamos um antigo processo judicial contra o guru com fatos extremamente comprometedores na rede, e o perfil deste, convenientemente, desapareceu por alguns dias, nos acusou de fazer parte de uma perigosa rede comunista que havia organizado um ataque contra essa "figura tão importante da direita brasileira", chegando inclusive a fazer um discurso sobre o assunto na Câmara dos Deputados.

Foi um longo processo o que me levou a romper com Olavo, e isto aconteceu em fins de 2013, quando decidi deixar de provocá-lo gentilmente com perguntas para as quais não tinha resposta, fingindo não ter tempo para as responder enquanto se dedicava a alimentar o culto de personalidade que agora se desenvolvia a sua volta da forma mais descarada possível, promovendo desde a venda de canecas com a sua figura a páginas de *soft-porno-gospel* como as "Musas Olavetes", passando a confrontá-lo nas redes sociais sem dar quartel, tal e qual ele recomendava que se fizesse com "professores esquerdistas", para expor a sua desonestidade intelectual. Pude constatar não apenas o seu desconhecimento de coisas fundamentais para a compreensão do presente, o que nada tem de errado, mas fundamentalmente a sua gritante má-fé e a sua vaidade.

A aproximação a algumas olavetes residentes em Portugal já me havia levado a constatar algo que sempre critiquei nos petistas mais radicais, ou seja, o facciosismo, mas numa intensidade ainda maior, algo semelhante ao que se observa em membros de uma seita. O rompimento de laços familiares e de amizade com todos aqueles que representavam o mal na mundivisão do guru, ou seja, o comunismo, era a regra e não a exceção. Olavo, pervertendo o *Idem Velle, Idem Nolle* de São Tomás de Aquino, explicava que só poderia existir amizade se tudo fosse compartilhado, incluindo a rejeição do comunismo, explicando que este não era apenas uma ideologia, mas sobretudo uma prática criminosa promovida por psicopatas sem nenhum tipo de empatia pelo próximo. Logo ele, pensava eu, que confessava já ter sido comunista. Eu, nos meus anos de comunismo, nunca tinha sido assim e até hoje mantenho amizades com comunistas que são pessoas exemplares na forma como lidam com o próximo. Por "ousar" fazer em relação a ele o que tanto recomendava que fosse feito com professores esquerdistas, e mostrar a tantos que Olavo era ignorante e, o que é grave, mentia, e consegui abrir os olhos de muitos nesse período, fui acusado de tudo, inclusive de ser um agente russo e comunista, sendo em breve alvo de vários artigos difamatórios no Mídia sem Máscara escritos por gente à qual cheguei abrir as portas da minha casa e tratei como amigos.

Vendo a força que um tal elemento ganhava nas redes sociais e na grande imprensa, que dava cada vez mais espaço para as teorias olavianas, sobretudo a conspiração do Foro de São Paulo, chegando Olavo a meter um seu pupilo, Felipe Moura Brasil, o sujeito que organizou a coletânea de artigos do best seller *O mínimo que você precisa saber para não ser um idiota*, na revista *Veja*, e abismado com a perseguição contra mim iniciada e com a ruptura de tantas "amizades" que tinha feito nos meios olavistas, para além das mentiras espalhadas sem o menor pudor ou mesmo temor em as ver desmascaradas, estava certo de que havia algo de podre no reino olaviano e resolvi investigar o guru mais a fundo e expor a sua ação de desestabilização no Brasil, que já era bem clara. Agora fazia sentido o que o Olavo afirmou tantas vezes a respeito do tratamento que deveria ser dado aos promotores do projeto revolucionário, ou seja, que deveriam ser sumariamente executados com um tiro na cabeça. No meio da confusão em que o Brasil foi lançado, quando da invasão do Congresso Nacional, Olavo e seus discípulos defendiam abertamente a "solução ucraniana" exigindo que o "poder caísse na rua".

O que era isso a não ser um incitamento à violência que poderia jogar o Brasil na guerra civil? Minha oposição ao PT era apenas uma oposição a várias políticas promovidas pela direção do partido e não uma incitação à perseguição contra petistas e simpatizantes, e por outro lado sabia bem que a culpa da crise crescente não se esgotava no PT, mas tinha sido uma obra coletiva de décadas de más escolhas políticas, me opondo por isso à campanha pelo impeachment não apenas por este ser fundamentado em fatos legalmente questionáveis, mas sobretudo por constatar que o processo causava prejuízos enormes ao Brasil, e abria a possibilidade de cenários terríveis, num momento em que a presidência era fraca e pouco ou nenhum dano poderia causar, e isso no mundo em decomposição e geopoliticamente instável das primaveras, pouco depois dos alertas de Snowden sobre o interesse americano no Brasil!

À medida que a perseguição movida a mim nas redes sociais me colocavam em evidência, e que ficou claro que não me intimidaria com a matilha olaviana e com as ameaças, muitos desafetos dele começaram a se aproximar com informações que desconhecia, que incluíam desde revelações de que o mesmo tinha sido astrólogo, ao contrário do que afirmava, ou seja, que tinha estudado a astrologia exclusivamente para compreender melhor o simbolismo medieval, assim como processos, relatos e artigos que mostravam que o passado de Olavo era um conjunto de passagens por hospícios, seitas obscuras envolvidas em crimes e recheado de passagens pelas delegacias de polícia. Apesar de ter revelado muito desse material, a maior parte dele, incluindo as coisas mais caricatas, grotescas e dantescas, preferi preservar a maior parte em privado, não apenas por decência e cautela contra a ferocidade do "olavismo jurídico", mas também porque forneceu pistas importantes para seguir o rastro do velho terraplanista, outra faceta dele que só vim a descobrir mais tarde. Soubesse que se travava de um astrólogo (e charlatão profissional), teria mantido distância desde o princípio, mas também não teria tido o estímulo e a curiosidade para seguir o caminho que me levou a descobertas tão extraordinárias e depois à amizade com a extraordinária Heloisa de Carvalho.

Apoiado desde o princípio pelo meu irmão, Jorge Velasco, na posse de informações a respeito do passado e do presente de Olavo de Carvalho e, pouco mais tarde, aliado a Caio Rossi, pude compreender a estrutura do núcleo duro olavista, a sua evolução e as suas intenções e, graças sobretudo ao esforço intelectual de Caio Rossi, com o qual meu irmão passou muitas noites em claro discutindo o tema, tomei conhecimento da metafísica sobre a qual a mundivisão olaviana está assente, o que me deu uma perspectiva mais profunda a respeito dos objetivos por detrás da atuação política de Olavo de Carvalho. Os resultados dessas pesquisas foram para a net tanto em forma de vídeo, nos hangouts "Desconstruindo Olavo de Carvalho" e no *documentário* "Adubando o Jardim das Aflições", como em textos escritos nos blogs Prometheo Liberto e Pérolas da Nova Direita.

Porém, para azar do Brasil, foi a partir de então que uma série de acontecimentos fortuitos e planejados levariam a aliança entre Olavo e Bolsonaro a tomar de assalto a Presidência do Brasil.

Acompanhei tudo isso em primeira mão e pouco pude fazer, tal e qual Cassandra. Bolsonaro, até o princípio da década, não passava de um deputado exótico, um Tiririca em esteróides, mal visto pela maioria esmagadora da população e sustentado politicamente apenas pela defesa dos interesses materiais dos baixos escalões do exército e da polícia militar. Bolsonaro era tido por uma espécie de palhaço sem grande coerência que por vezes defendia, para gáudio do internacionalismo, algumas políticas mais nacionalistas de forma desastrada, aumentando a percepção popular, influenciada pela grande imprensa corporativa, do nacionalismo como um anacronismo. Podemos afirmar que bastava Bolsonaro defender uma qualquer causa para que ela fosse desacreditada. Não à toa que, agora que é presidente e pode fazer alguma coisa, segue uma agenda internacionalista. Ou seja, na prática Bolsonaro foi desde sempre um inimigo do interesse nacional do Brasil. Nesse ponto, se assemelha ao seu guru. Olavo também se especializou em afirmar esporadicamente que ama o Brasil ao mesmo tempo que ensina os brasileiros a se verem como um povo sem nenhum valor e condenado, na melhor das hipóteses, a servir aquele que é o mais virtuoso dos povos, o povo americano.

À medida que o PT e Dilma perdiam popularidade, Bolsonaro foi absorvendo o discurso olaviano com mais intensidade e os seus filhos, com destaque para Eduardo, não apenas aproximaram do guru, mas até se tornaram discípulos do mesmo. Graças a essa aproximação, que em fins de 2013 já estava completa, Olavo de Carvalho, que gozava da fama de ser o maior intelectual vivo do Brasil na nova direita em ascensão, rompeu o estigma que impedia

Bolsonaro de expandir o seu potencial eleitorado. Finalmente alguém tido por intelectual, e não um mero troglodita, manifestava que Bolsonaro era um político respeitável e acabava com uma das grandes restrições psicológicas ao sucesso político deste: a vergonha de ser considerado idiota ao apoiar alguém considerado pela generalidade como um completo imbecil. Se o homem que escreveu um bestseller ensinando a não ser idiota e tido por muitos como um gênio afirmava que apoiar Bolsonaro era a escolha certa, quem poderia afirmar o contrário? E é bom lembrar que a fama de Olavo, construída por ele próprio, com apoio da sua *entourage*, nas redes sociais, contou com o auxílio essencial de outras figuras do *establishment* brasileiro, a começar pelo advogado Ives Gandra Martins, que declarou publicamente que "Olavo é o mestre de todos nós", passando por Reinaldo Azevedo, que só mais tarde acabaria por romper de vez com o astrólogo, e terminando em Lobão, que também se desentenderia posteriormente com o guru mas era então o representante máximo dos artistas "que não viviam da Lei Rouanet" e dele absorveu o discurso.

Logo em seguida a esta aproximação, Bolsonaro pôde contar entre os seus apoiadores com as centenas de milhares de seguidores diretos de Olavo de Carvalho, um setor militante, raivoso e determinado que aterrorizava a blogosfera e estava distribuído por todo o Brasil, com muitos deles em posições de destaque em redações de jornais, revistas e rádios, assim como os incontáveis seguidores dos promotores das ideias olavianas, como o padre Paulo Ricardo, muito influente nos meios católicos brasileiros e seguido, na altura, por milhões de indivíduos nas redes sociais e nos programas de televisão dos quais participa, e também os evangélicos olavistas, como o já referido Marco Feliciano, o que lhe traria rapidamente o apoio dos partidos pertencentes à *cosidetta* "bancada da Bíblia", que mais adequadamente deveria se chamar "bancada do dízimo".

Foi assim que Bolsonaro foi elevado a mito nas redes sociais, tão bem instrumentalizadas pelos olavistas, e chegou em 2018 com massa crítica para disputar a presidência, se tornando a aposta principal do rentismo à direita e logo agregando, como elemento fundamental que deu uma certa imagem de respeitabilidade à sua candidatura, oficiais na ativa e aposentados da alta oficialidade das forças armadas, o que tão bem serviu para transmitir uma falsa impressão de que Bolsonaro era um nacionalista, transferindo ao capitão expulso em desonra a respeitabilidade de que as forças armadas gozavam na população e servindo, ainda que ilusoriamente, como garantia de estabilidade institucional à presidência.

A facada, a prisão de Lula, a decisão temerária do PT disputar as eleições, polarizando a disputa entre Haddad e Bolsonaro e esmagando candidaturas alternativas, nomeadamente a de Ciro Gomes, e a utilização de uma estratégia sofisticada de propaganda nas redes sociais, assim como os financiamentos milionários a essa nova forma de política virtual, levaram Bolsonaro à Presidência. Assim que foi eleito, ao fazer um discurso de agradecimento com o "Mínimo" sobre a mesa, deixou bem claro, ao menos para quem conhecia os bastidores e sabia ouvir, que quem faz a sua cabeça é Olavo de Carvalho.

Para quem ainda tinha dúvidas, ou não queria acreditar, a influência de Olavo se materializou de forma inequívoca quando da nomeação dos ministros e membros do primeiro escalão em que Bolsonaro pode escolher gente da sua confiança, ou seja, nos cargos que não foram previamente prometidos à base política aliada. Nestas nomeações em que teve liberdade total de escolha, Bolsonaro escolheu nomes indicados publicamente por Olavo de Carvalho, Ernesto Araújo e Ricardo Vélez, e incluiu um seu discípulo, Filipe G. Martins, num cargo de primeira importância. Quanto a Vélez, apesar de indicado por Olavo, este caiu quando demonstrou oposição em relação a algumas medidas promovidas pelo guru, acabando exonerado e prontamente substituído por um olavista radical, Abraham Weintraub.

O poder olavista no novo governo, que muitos acreditavam que estava em xeque por pressão dos militares, mostrou novamente as suas garras quando da exoneração do general Santos Cruz, movimento despertado pela oposição deste ao uso de recursos públicos para financiar um programa televisivo sob coordenação do guru.

E qual é, em termos gerais, a agenda do "Olavo-bolsonarismo"? É basicamente o alinhamento automático com as posições de Washington e Telaviv em detrimento do interesse nacional brasileiro, como vimos na posição defendida por olavistas, a começar por Eduardo Bolsonaro, na questão venezuelana, ou da promoção da absurda ideia de mover a embaixada brasileira em Israel para Jerusalém, ideia em que o Brasil nada tem a ganhar e tem tudo a perder. Até mesmo os militares que apoiaram o atual governo, pouco ou mesmo nada nacionalistas, se opuseram a essas medidas suicidas, conseguindo paralisar a concretização dessa ideia disparatada, mas não conseguindo pô-la completamente de lado.

    A importância de Olavo aumentou de maneira exponencial desde a eleição e foi isso que levou o próprio Departamento de Estado americano, sem nenhum pudor, a recebê-lo, junto ao seu filho Pedro, que, apesar de nascido brasileiro e ter emigrado já com alguma idade, pertence aos *marines*. Simultaneamente houve também a aproximação de Steve Bannon, o mago por detrás da eleição de Trump e promotor da nova direita milenarista a nível global. Nesse último caso, não se trata de uma aproximação fortuita, meramente política, mas sim de algo mais profundo que tem a ver com a concepção metafísica que dá base à mundivisão olaviana. Apesar da grande imprensa já ter destacado o papel de Olavo, inclusivamente com capas em revistas importantes como a Veja e artigos extensos como o da revista Época, ela ainda não percebeu a importância da coisa, e muito menos uma coisa: Olavo não depende de Bolsonaro e o olavismo veio para ficar. Já em algumas ocasiões, quando houve a percepção de que o governo Bolsonaro poderia não chegar ao fim, Olavo tratou de se demarcar do seu pupilo de forma a poder se desresponsabilizar de quaisquer fracassos caso este naufrague.

    O depoimento de Heloisa de Carvalho foi escrito em parceria com o escritor e intelectual Henry Bugalho, um nome que dispensa apresentações mas faço questão de frisar que é um dos maiores opositores da vaga de extremismo que ameaça destruir não apenas as liberdades e as instituições que ainda existem no Brasil, mas a própria nação brasileira, a empurrando para o abismo. É mais do que um simples relato biográfico, trata-se de um documento histórico que nos permite conhecer em primeira mão quem é Olavo de Carvalho para além da amplamente conhecida figura caricatural do guru terraplanista, permitindo assim ao leitor colocá-lo em avaliação por meio dos próprios "critérios filosóficos" olavianos . Tive o prazer de conhecer Heloisa de Carvalho em 2017 e, desde então, quase quatro anos após o meu rompimento total com o seu pai, temos sido companheiros incansáveis na exposição da farsa que agora tomou conta da chefia de Estado. Foi graças ao meu irmão, Jorge Velasco, que decidiu sondar Heloisa para atestar a sua sinceridade na disputa que levou Olavo de Carvalho a atacá-la de maneira cruel nas redes sociais, que acabamos por nos aproximar. Graças a ela, o grupo formado por mim, pelo Jorge e pelo Professor Caio Rossi pôde ter acesso a informações preciosas que abriram novos horizontes em relação a Olavo de Carvalho e confirmaram em detalhes e/ou enriqueceram tudo o que descobrimos por documentos e depoimentos de pessoas que, por medo, pediram anonimato. Além disso, muitas das suas informações finalmente nos permitiram compreender a importância de testemunhos aos quais não tínhamos dado o devido valor e que, graças a isso, puderam ser enquadrados.

Ao mesmo tempo, Heloisa pôde, no intercâmbio, compreender a racionalidade por detrás daquele contexto insano, enxergando a unidade do quadro caótico da sua vida com Olavo de Carvalho. Percebendo a lógica sectária das práticas, relacionamentos e objetivos do seu pai, deixou de ser uma mera testemunha de fatos até então aparentemente desconexos, a não ser nos efeitos danosos sobre as vítimas do guru, e reforçou o que descobriu ao tentar se reaproximar do pai e a levou a romper de forma definitiva os seus laços com o guru, ou seja, que ele continua o mesmo de sempre, mas ainda mais perigoso, pois já não é um mero sociopata que destrói a vida de pessoas próximas, mas sim um louco obcecado pelo poder, mais rebuscado graças à experiência de vida, que agora ameaça levar uma inteira nação ao suicídio.

Heloisa é um exemplo vivo de heroísmo e altruísmo, exemplo ainda mais edificante por ser filha de um sujeito egoísta, covarde e cruel. Cresceu no abandono, vítima de maus tratos continuados e privada da educação formal, ou de qualquer tentativa de educação, ainda que informal, da parte do seu pai, que por ironia vivia de dar aulas, mas jamais conseguiu odiá-lo ou perdeu a esperança de o ver arrependido e mudado. Foi graças a terceiros, e à sua tenacidade e otimismo irradiante, qualidades que conheci muito bem no nosso convívio, que conseguiu encontrar o seu lugar no mundo e sobreviver.

Heloisa dá o seu testemunho do que foi ser filha de Olavo de Carvalho e se mantém fiel ao que viu, limitando o que expõe ao que presenciou e viveu em primeira mão. Este poderoso testemunho não é apenas uma biografia, mas sim um poderoso documento que prova que o Olavo de Carvalho de hoje, autointitulado filósofo e ideólogo de um suposto conservadorismo católico que de católico nada tem, não passando de ocultismo disfarçado sob um véu cristão de forte cunho mariano, é na essência o mesmo Olavo de sempre, ou seja, um sociopata ambicioso que descobriu no submundo da astrologia e das seitas poderosas armas de exercício de poder sobre os outros, e de autopromoção, não possuindo nenhum limite para além do que dita a conveniência, usando a moral apenas como mecanismo de propaganda de si próprio, e de arma de arremesso contra aqueles que se colocam entre ele e os seus objetivos, como fez quando excomungou publicamente o Papa Francisco I, talvez na qualidade de Antipapa Sidi Muhammad Ibrahim I.

O que é exposto aqui tem uma importância que vai muito para além dos fatos em si, que provam de forma inequívoca que estamos diante de um louco perigoso, capaz de ignorar friamente os apelos por atenção de uma mãe moribunda enquanto usava o fim da sua progenitora nas redes sociais para atrair simpatia e atenção, e difamar a própria filha de maneira virulenta, não apenas pela posição ocupada por Olavo, mas sobretudo porque prova que ele é uma farsa, ou melhor, uma farsa perigosa. Olavo, segundo ele criador do conceito de paralaxe cognitiva, mais um *mito* criado por si, notabilizou-se por desautorizar a obra de vários filósofos a partir da confrontação das mesmas com as respectivas vidas, como fez com Rousseau em vários artigos. Nada como citar as próprias palavras do guru:

As *Confissões* de Jean-Jacques Rousseau, um dos livros mais populares de todos os tempos, consolidam a inversão, quando, da revelação de seus defeitos e pecados, o autor, em vez de inferir que não presta, tira a conclusão de que ninguém é melhor que ele. Pais e mães que sacrificaram vida e saúde por seus filhos são rebaixados ante a vaidade do ambicioso carreirista que preferiu remeter os seus cinco a um orfanato, para ter tempo de brilhar nos salões e ser paparicado por todos aqueles que depois ele acusaria de oprimi-lo. Rousseau gaba-se mesmo de ser o melhor homem da Europa, o mais humano, o mais bondoso, o mais sensível, incompreendido pela multidão de filisteus. (*in* "Inversão retórica e realidade invertida: Brasil-Mentira", Diário do Comércio, 15 de abril de 2009)

Mais uma vez, Olavo faz aquilo que atribui aos comunistas, ou seja, todos os que dele discordam, recorrendo a mais uma farsa que divulga como verdadeira e fruto de um trabalho sério de pesquisa que jamais fez, a suposta frase de Lênin: *XINGUE-OS DO QUE VOCÊ É, ACUSE-OS DO QUE VOCÊ FAZ.* Esta frase, ainda que falsa, exprime uma das constantes olavianas e não por acaso é isso mesmo que ele agora, com acesso privilegiado ao poder, aplica na exatidão a técnica de ocupação de espaços por todos os meios disponíveis que durante anos atribuiu ao petismo.

Heloisa dá a conhecer quem foi Olavo enquanto pai, ou melhor, quem foi enquanto deseducador e tirano, e desmascara o mito do velhinho bondoso, com as suas excentricidades, cuja vida familiar imita as fantasias mais kitsch inspiradas por aquelas falsas imagens de uma América provinciana desprovida de maldade dos anos 50 que tanto inspiram o imaginário olaviano.

E, para o leitor atento e sensível, muitas outras informações que parecerão apenas casos pitorescos, como o casamento islâmico forçado de Heloisa, por ordem do pai, assim como a vida do mesmo enquanto muqqadan de uma tariqa numa comunidade "alternativa" onde os casais viviam separados e deveriam, para ter acesso privado ao quarto íntimo, pagar uma espécie de "zakat de alcova" ao guru, darão uma dimensão ainda mais grave ao recente movimento de tentativa de deslocamento da embaixada brasileira em Israel para Jerusalém, assim como de hostilização das nações islâmicas noutras situações, como no recente caso envolvendo navios com milho destinados ao Irã.

Sendo assim o Brasil, até hoje neutro e poupado às confusões do Médio Oriente, e até por isso em posição de vantagem para defender os seus interesses materiais naquela área, não só hostiliza todo o Islã em conjunto, sem fazer distinções e assumindo uma visão de guerra civilizacional binária e defasada da complexa realidade, como até o faz por instigação de alguém que para efeitos práticos é não só um apóstata do islamismo, o qual parodiava numa espécie de pornochanchada blasfema, como chega a defender a ideia de que Israel não é um estado como qualquer outro, mas sim uma espécie de estado sagrado que toda a cristandade, unida em torno dos EUA, deve defender para além de qualquer outra consideração de um mundo islâmico irremediavelmente hostil. Difícil imaginar uma política mais "explosiva", no sentido figurado e literal. Esperemos que o mundo islâmico saiba dissociar Olavo de Carvalho, e Bolsonaro, do Brasil!

E essa visão absurda não se esgota aqui. Para cúmulo do ridículo, o Islã agiria em concerto com o comunismo, ou seja, a China e a Rússia, e um globalismo ocidental antiamericano (!)

que supostamente teria em Soros o seu mentor (também ele um agente do KGB segundo Olavo), o mesmo Soros que esteve por detrás da derrubada de um governo pró-russo na Ucrânia, num plano de destruição da civilização ocidental.

Tal visão, claramente equivocada e deitada abaixo por um estudo profundo da realidade, além de paradoxal, ridícula e simplista, afinal, o mundo é infinitamente mais complexo, é perigosa pois isola e enfraquece ainda mais o Brasil perante os poderes que realmente constituem um perigo. Porém, essa fantasia convenceu a muitos. Não pela sua força intrínseca, mas sobretudo porque Olavo se especializou no curso da sua vida, como o relato de Heloisa demonstra, em enganar as pessoas, manipulando-as, destruindo a sua individualidade, induzindo-as à devoção cega ao guru, ao ódio fratricida, à loucura e até mesmo ao suicídio. É isto o que Olavo está fazendo com o Brasil.

Ficam aqui os meus agradecimentos e votos de sucesso à Heloisa de Carvalho e ao Henry Bugalho. A luta deles é uma luta pela civilização no Brasil e um exemplo de civismo, coragem e amor ao próximo, e por isso considero fundamental o êxito do livro.

Talvez um dia, quando a turbulência passar, possamos todos rir dos dias em que um louco chamado Olavo de Carvalho, ou Sidi Muhammad Ibrahim, o Eratóstenes do Terraplanismo e o Timoneiro da Barca Egípcia, chegou a eminência parda da Presidência brasileira. Até lá, lutemos!

Forsan et haec olim meminisse iuvabit...

Impresso em papel Pólen Bold 90gr m², em tipologia garamond 12/16, no verão de 2019/2020.